4

I edizione: luglio 2003
© 2003 Fazi Editore srl
Via Isonzo 42, Roma
Tutti i diritti riservati
Progetto grafico e logo di Maurizio Ceccato

ISBN: 88-8112-425-4

www.fazieditore.it
melissap@fazieditore.it

Melissa P.

Cento colpi di spazzola
prima di andare a dormire

Fazi Editore

Ad Anna

6 luglio 2000
15,25

Diario,
scrivo dalla mia camera semibuia tappezzata dalle stampe di Gustave Klimt e dai poster di Marlene Dietrich; lei mi guarda con il suo sguardo languido e superbo mentre scarabocchio il foglio bianco su cui si riflettono i raggi del sole, filtrati appena dagli spiragli delle persiane.

C'è caldo, un caldo torrido, secco. Sento il suono della televisione accesa nell'altra stanza e mi arriva la piccola voce di mia sorella che intona la sigla di un cartone animato, fuori un grillo urla la sua spensieratezza e tutto è calmo e mite dentro questa casa. Sembra che tutto sia rinchiuso e protetto da una campana di vetro finissimo e il caldo rende più pesanti i movimenti; ma dentro di me non c'è calma. È come se un topo stesse rosicchiando la mia anima e in maniera così impercettibile da sembrare dolce, persino. Non sto male e non sto nemmeno bene, la cosa inquietante è che "non sto". Però, so ritrovarmi: basta alzare lo sguardo e incrociarlo con quello riflesso sullo specchio perché una calma e una felicità mite s'impossessino di me.

Davanti allo specchio mi ammiro e rimango estasiata dalle forme che vanno man mano delineandosi, dai muscoli che assumono una forma più modellata e sicura, dai seni che cominciano a notarsi sotto le magliette e si muovono dolcemente a ogni passo. Fin da piccola mia madre, girando candidamente nuda per casa, mi ha abituata a osservare il corpo femminile e perciò per me non sono un mistero le forme di una donna adulta; ma, come una foresta inestricabile, i peli nascondono il Segreto e lo celano agli occhi. Molte volte, sempre con la mia figura riflessa nello specchio, intrufolo piano un dito e, guardandomi negli occhi, provo nei miei confronti un sentimento di amore e di ammirazione. Il piacere di osservarmi è talmente grande e talmente forte che diventa subito piacere fisico e arriva con un solletico iniziale e termina con un calore e un brivido nuovi, che durano pochi attimi. Dopo arriva l'imbarazzo. Al contrario di Alessandra, non sviluppo mai fantasie mentre mi tocco; qualche tempo fa mi ha confidato che anche lei si tocca e mi ha detto che in quei momenti le piace pensare di essere posseduta da un uomo con forza e violenza, quasi da farsi male. Io mi sono stupita poiché per eccitarmi mi basta osservarmi; mi ha domandato se anche io mi tocco e le ho risposto di no. Non voglio assolutamente distruggere questo mondo ovattato che mi sono costruita, è un mondo mio, i cui unici abitanti sono il mio corpo e lo specchio e rispondere di sì alla sua domanda sarebbe stato tradirlo.

L'unica cosa che mi fa stare veramente bene è quell'immagine che contemplo e che amo; tutto il resto è finzione. Sono finte le mie amicizie, nate dal caso e cresciute nella mediocrità, sono così poco intense... Sono finti i baci che timidamente ho regalato a qualche ragazzo della mia scuola: appena poggio le labbra sento come una specie di repulsione e scapperei lontano quando sento la loro lingua intrufolarsi maldestra. È finta questa casa, così poco simile allo stato d'animo che ho adesso. Vorrei che improvvisamente tutti i quadri si staccassero dalle pareti, che dalle finestre entrasse un freddo gelido e agghiacciante, che gli ululati dei cani prendessero il posto dei canti dei grilli.

Voglio amore, diario. Voglio sentire il mio cuore sciogliersi e voglio vedere le stalattiti del mio ghiaccio spezzarsi e affondare nel fiume della passione, della bellezza.

8 luglio 2000
8,30 della sera

Schiamazzi per la strada. Risate che riempiono questa soffocante aria estiva. Immagino gli occhi dei miei coetanei prima di uscire di casa: accesi, vivi, ansiosi di passare una serata divertente. Passeranno la notte sulla spiaggia a intonare canti accompagnati da una chitarra, qualcuno si apparterà in fondo, dove il buio copre tutto e si sussurrerà parole infinite all'orecchio. Qualcun altro, domani, nuoterà nel mare riscaldato dal sole mattutino, tenebroso, custode di una vita marina sconosciuta. Loro vivranno, e sapranno come gestire la loro vita. OK, d'accordo, respiro anch'io, biologicamente sono a posto... Ma ho paura. Ho paura di uscire di casa e incontrare gli sguardi sconosciuti. Lo so, vivo in perenne conflitto con me stessa: ci sono giorni in cui lo stare in mezzo agli altri mi aiuta, e ne sento un bisogno impellente. Altri giorni in cui l'unica cosa che può soddisfarmi è stare sola, completamente. Allora scaccio svogliatamente il mio gatto dal letto, mi metto supina sul letto e

11

penso... Magari faccio suonare qualche CD, quasi sempre musica classica. E io sto bene con la complicità della musica, e non ho bisogno di nulla.

Ma questi schiamazzi mi stanno dilaniando, so che stanotte qualcuno vivrà più di me. E io rimarrò dentro questa camera ad ascoltare il suono della vita, lo ascolterò finché il sonno non mi abbraccerà.

10 luglio 2000
10,30

Sai cosa penso? Penso che forse è stata una pessima idea iniziare un diario... Lo so come sono fatta, mi conosco. Fra qualche giorno dimenticherò la chiave da qualche parte, o magari smetterò volontariamente di scrivere, troppo gelosa dei miei pensieri. O forse (cosa non inverosimile) quell'indiscreta di mia madre sbircerà fra i fogli e allora mi sentirò stupida e smetterò di raccontare.

Non so se mi faccia bene sfogarmi, ma perlomeno mi distraggo.

13 luglio
mattina

Diario,
sono contenta! Ieri sono stata a una festa con Alessandra, altissima ed esile sopra i suoi tacchi, bella come sempre, e come sempre un po' rozza nelle espressioni e nei movimenti. Ma affettuosa e dolce. All'inizio non volevo andare, un po' perché le feste mi annoiano e un po' per-

ché ieri il caldo era così soffocante da impedirmi di fare qualsiasi cosa. Ma poi lei mi ha pregata di accompagnarla e così l'ho seguita. Siamo arrivate cantando sullo scooter in periferia, verso le colline che l'arsura estiva ha trasformato da verdi e rigogliose in secche e sciupate. Nicolosi era riunita a gran festa in piazza e sull'asfalto reso tiepido dalla sera c'erano tante bancarelle di caramelle e frutta secca. La villetta era alla fine di una stradina non illuminata; arrivate davanti al cancello lei si è messa a gesticolare con le mani come se volesse salutare qualcuno e ha chiamato forte: «Daniele, Daniele!».

Lui è arrivato a passi molto lenti e l'ha salutata. Sembrava piuttosto bello anche se il buio lasciava scorgere ben poco. Alessandra ci ha presentati e lui mi ha stretto la mano debolmente. Ha sussurrato pianissimo il suo nome, e io ho sorriso un poco pensando che fosse timido; a un certo punto ho notato un luccichìo ben evidente nel buio: erano i suoi denti di un biancore e di una brillantezza stupefacenti. Allora stringendogli più forte la mano ho detto a voce un po' troppo alta: «Melissa» e forse lui non avrà notato i miei denti, non così bianchi come i suoi, ma forse avrà visto i miei occhi illuminarsi e brillare. Una volta entrati mi sono accorta che sotto la luce appariva ancora più bello; io gli stavo dietro e vedevo i muscoli delle spalle muoversi a ogni passo. Mi sentivo piccolissima nel mio metro e sessanta e mi sono anche sentita brutta davanti a lui.

Quando infatti ci siamo seduti sulle poltrone della sala, lui era di fronte a me e sorseggiava piano la birra guardandomi dritto negli occhi e in quel momento mi sono vergognata dei miei brufoletti sulla fronte e della mia carnagione troppo chiara rispetto alla sua. Il suo naso dritto e proporzionato sembrava proprio quello di certe statue greche e le vene in rilievo sulle mani gli donavano una forza notevole; gli occhi, grandi e blu scuro, mi guardavano alteri e superbi. Mi ha fatto molte domande dimostrando però la sua indifferenza nei miei confronti ma invece di scoraggiarmi mi ha fatta più forte.

A lui non piace ballare, e nemmeno a me. Così siamo rimasti soli mentre gli altri si scatenavano, bevevano e scherzavano.

È piombato un silenzio a cui ho voluto rimediare.

«Bella questa casa, vero?», ho detto simulando sicurezza.

Lui ha solamente scrollato le spalle, e io non ho voluto essere indiscreta, così sono rimasta in silenzio.

Poi è arrivato il momento delle domande intime; quando tutti erano occupati a ballare, lui si è avvicinato ancora di più alla mia poltrona e ha cominciato a guardarmi con un sorriso. Io ero sorpresa e incantata e mi aspettavo una sua qualsiasi mossa; eravamo soli, al buio, e adesso a una vicinanza assai favorevole. Poi la domanda: «Sei vergine?».

Sono arrossita, ho sentito un groppo alla gola e tanti spilli pungermi la testa.

Ho risposto un sì timido che mi ha subito portata a rivolgere lo sguardo altrove per rifiutare quell'immenso imbarazzo. Lui si è morso le labbra per reprimere una risata e si è limitato a tossire un poco, non pronunciando una sillaba. E dentro di me i rimproveri erano forti e violenti: «Adesso non ti calcolerà più! Idiota!», ma in fondo cosa potevo dire, la verità è questa, sono vergine. Non sono mai stata toccata da nessuno fuorché da me, e questo mi inorgoglisce. Ma la curiosità c'è ed è anche tanta. La curiosità innanzitutto di conoscere il corpo maschile nudo, poiché mai mi è stato permesso di farlo: quando in televisione trasmettono scene di nudo, mio padre afferra prontamente il telecomando e cambia canale. E, quando quest'estate sono rimasta tutta la notte con un ragazzo fiorentino che era in vacanza qui, non ho osato mettere la mano nello stesso punto in cui lui aveva già messo la sua.

E poi ci sarebbe la voglia di provare un piacere prodotto da qualcun altro che non sia io, di sentire la sua pelle contro la mia. In ultimo il privilegio di essere, fra le ragazze della mia stessa età che conosco, la prima ad avere un rapporto sessuale. Perché mi ha fatto quella domanda? Non ho ancora pensato a come sarà la mia prima volta e molto probabilmente non ci penserò mai, voglio solo viverla e, se posso, averne un ricordo per sempre bello che mi accompagnerà nei momenti più tristi della mia vita. Penso che potrebbe essere lui, Daniele, l'ho intuito per alcune cose.

Ieri sera ci siamo scambiati i numeri di telefono e stanotte, mentre dormivo, mi ha mandato un messaggio che ho letto stamattina: «Sono stato molto bene con te, sei molto carina e ho voglia di rivederti. Domani vieni a casa mia, faremo il bagno in piscina».

19,10

Sono perplessa e turbata. L'impatto con ciò che fino a qualche ora fa sconoscevo è stato piuttosto brusco, anche se non completamente disgustoso.

La sua casa di villeggiatura è molto bella, è circondata da un giardino verdissimo e da miriadi di fiori coloratissimi e freschi. Nella piscina azzurra brillava il riflesso del sole e l'acqua invitava a tuffarcisi, ma io proprio oggi non ho potuto perché il ciclo me l'ha impedito. Sotto il salice piangente osservavo gli altri tuffarsi e giocare mentre io stavo seduta al tavolino in bambù con in mano un bicchiere di tè freddo. Lui mi guardava sorridendo di tanto in tanto e io ricambiavo contenta. Poi l'ho visto arrampicarsi per la scaletta e venire verso di me con le gocce d'acqua che scivolavano lente sul suo torso lucido, mentre con una mano si sistemava i capelli bagnati spruzzando goccioline da ogni parte.

«Mi dispiace che tu non possa divertirti», ha detto con un'espressione leggermente ironica.

«Non è un problema», ho risposto, «prenderò un po' di sole».

Senza dire niente mi ha preso una mano mentre con l'altra afferrava il bicchiere freddo e lo poggiava sul tavolo.

«Dove andiamo?», ho chiesto ridendo ma un po' timorosa.

Non ha risposto e mi ha condotta a una porta in cima a una decina di scale, ha spostato lo zerbino e ha preso le chiavi; ne ha inserita una nella serratura, guardandomi con occhi scaltri e brillanti mentre lo faceva.

«Ma dove mi porti?», ho richiesto con lo stesso timore di prima ben nascosto.

Ancora una volta nessuna risposta, solo un leggero sbuffo di risata. Ha aperto la porta, è entrato trascinandomi dentro e l'ha richiusa alle mie spalle. Nella stanza appena illuminata dagli spiragli di luce filtrati fra le tapparelle ed estremamente calda, mi ha poggiata sulla porta e mi ha baciata con passione, facendomi gustare le sue labbra che sapevano di fragola e dal colore che rassomiglia molto al frutto. Le sue mani erano poggiate sulla porta e i muscoli delle sue braccia erano tesi, potevo sentirli forti sotto le mie mani che li accarezzavano e li percorrevano allo stesso modo in cui gli spiritelli stavano percorrendo il mio corpo. Poi mi ha preso il volto fra le mani, si è staccato dalla mia bocca e mi ha chiesto piano: «Ti andrebbe di farlo?».

Mordendomi le labbra ho risposto di no, perché mille paure mi hanno invasa all'improvviso, paure senza un volto, astratte. Ha fatto più pressione con le mani poggiate sulle mie guance e con una forza che forse lui voleva tradurre, invano, in dolcezza mi ha spinta sempre più giù, mostrandomi bruscamente l'Ignoto. Adesso lo avevo davanti agli occhi, odorava di uomo e ogni venatura che lo attraversava esprimeva una tale potenza che mi è sembrato doveroso fare i conti con essa. È entrato presuntuoso fra le mie labbra, lavando via il sapore di fragola ancora impregnato su di esse.

Poi improvvisamente c'è stata un'altra sorpresa e in bocca mi sono ritrovata un liquido caldo e acido, assai abbondante e denso. Un mio sussulto improvviso a questa nuova scoperta ha provocato in lui un leggero dolore, mi ha afferrato la testa con le mani e mi ha spinto verso di lui ancora più forte. Il suo respiro lo sentivo affannoso e c'è stato un momento in cui ho creduto che il calore del suo fiato arrivasse fino a me. Ho bevuto quel liquido perché non sapevo che farne, l'esofago ha creato un leggero rumore di cui mi sono vergognata. Mentre ero ancora in ginocchio ho visto le sue mani scendere, credendo che mi volesse sollevare il viso ho sorriso, invece ha tirato su il costume da bagno e ho sentito il rumore dell'elastico che sbatteva contro la sua pelle bagnata dal sudore. Allora mi sono alzata da sola e l'ho guardato negli occhi cercando in lui qualche parola che potesse rassicurarmi e farmi felice.

«Vuoi qualcosa da bere?», ha chiesto.

Sentendo ancora il sapore acido del liquido dentro la mia bocca ho risposto di sì, un bicchiere d'acqua. È andato di là ed è ritornato qualche secondo dopo con il bicchiere in mano, mentre io ero ancora poggiata alla porta guardando incuriosita la stanza dopo che lui aveva acceso la luce. Osservavo le tende di seta e le sculture, e sopra gli eleganti divani diversi libri e riviste. Un enorme acquario proiettava le sue luci brillanti sulle pareti. Sentivo i rumori provenire dalla cucina e dentro di me non c'era turbamento o vergogna, ma una strana contentezza. Solo dopo mi ha assalita la vergogna, mentre con un gesto indifferente mi porgeva il bicchiere e ho chiesto: «Ma si fa davvero così?».

«Certo!», mi ha risposto con un sorriso beffardo che mostrava tutti i suoi bellissimi denti. Allora gli ho sorriso e l'ho abbracciato e, mentre odoravo la sua nuca, ho sentito le sue mani dietro di me afferrare la maniglia e aprire la porta.

«Ci vediamo domani», ha detto, e dopo un bacio per me dolce sono scesa giù dagli altri.

Alessandra mi ha guardata ridendo e io ho accennato un sorriso che subito è scomparso al mio abbassarsi del capo: avevo le lacrime agli occhi.

29 luglio 2000

Diario,

sono più di due settimane che frequento Daniele e già mi sento molto legata a lui. È vero che i suoi modi nei miei confronti sono alquanto bruschi e mai dalla sua bocca esce un complimento o una bella parola: solo indifferenza, insulti e risate provocatorie. Eppure questo suo agire mi fa accanire ancora di più. Sono sicura che la passione che ho dentro riuscirà a farlo completamente mio, e lui se ne accorgerà presto. Nei pomeriggi caldi e monotoni di quest'estate spesso mi ritrovo a pensare al suo sapore, la freschezza della sua bocca fragolina, i muscoli sodi e vibranti come grossi pesci vivi. E quasi sempre mi tocco, provando stupendi orgasmi, intensi e pieni di fantasie. Sento una grandissima passione dentro, la sento battere sulla mia pelle perché vorrebbe uscire, scatenando fuori tutta la sua potenza. Ho una voglia matta di fare l'amore, lo farei anche subito, e continuerei per giorni e giorni, finché la passione non sarà completamente fuori, libera finalmente. So a priori che non sarò comunque sazia, dopo poco riassorbirò ciò che fuori ho fatto disperdere per poi abbandonarlo nuovamente, in un ciclo sempre uguale, sempre emozionante.

1 agosto 2000

Mi ha detto che non sono capace di farlo, che sono poco passionale. Me l'ha detto con il suo solito sorriso beffardo e io sono andata via in lacrime, umiliata dalla sua risposta. Eravamo sull'amaca del suo giardino, la sua testa poggiata sulle mie gambe, accarezzavo piano i suoi capelli e guardavo le sue ciglia chiuse da diciottenne. Gli ho passato un dito sulle labbra e mi sono bagnata un po' il polpastrello, lui si è svegliato e mi ha fissata con un che di interrogativo.

«Ho voglia di fare l'amore, Daniele», ho detto tutto d'un fiato, con le guance incandescenti.

Ha riso fortissimo, così forte da perdere il fiato.

«Ma via bambina! Cosa vorresti fare tu? Non sei capace nemmeno di succhiarmelo!».

L'ho guardato perplessa, umiliata, volevo sprofondare sotto il suo giardino così ben curato e marcire là sotto, mentre i suoi piedi avrebbero continuato a calpestarmi per l'eternità. Sono fuggita via, urlandogli contro uno «Stronzo!» rabbioso, sbattendo violentemente il cancello e accendendo lo scooter per ripartire con l'anima distrutta e colpita nell'orgoglio.

Diario, è così difficile lasciarsi amare? Io pensavo che non fosse necessario bere la sua pozione per garantirmi il suo affetto, che dovevo necessariamente concedermi completamente a lui e, ora che stavo per farlo, ora che ne ho voglia, lui mi deride e mi scaccia via a quel modo. Cosa posso fare? Di rivelargli il mio amore non se ne parla. Posso ancora provargli di essere capace di fare ciò che lui non si aspetta, sono molto caparbia e ci riuscirò.

3 dicembre 2000
22,50

Oggi è il giorno del mio compleanno, il mio quindicesimo. Fuori fa freddo e stamattina ha piovuto forte. A casa sono venuti alcuni parenti che non ho accolto molto bene e i miei genitori, imbarazzati, mi hanno rimproverata quando gli altri sono andati via.

Il problema è che i miei genitori vedono solo quello che fa loro piacere vedere. Quando sono più frizzante partecipano alla mia contentezza e si mostrano affabili e comprensivi. Quando sono triste stanno in disparte, mi evitano come un'appestata. Mia madre dice che sono una morta, che ascolto musica da cimitero e che l'unico mio divertimento è chiudermi in camera a leggere libri (questo non lo dice, ma lo capisco dal suo sguardo...). Mio padre non sa niente di come si svolgono le mie giornate, e io non ho nessuna voglia di raccontargliele.

È l'amore che mi manca, è la carezza sui capelli che voglio, è uno sguardo sincero che desidero.

Anche a scuola è stata una giornata infernale: mi sono beccata due impreparata (non ho voglia di mettermi a studiare) e ho dovuto sostenere il compito di latino. Daniele mi batte in testa da mattina a sera e occupa persino i sogni; non posso rivelare a nessuno ciò che provo per lui, non capirebbero, lo so.

Durante il compito l'aula era silenziosa e buia, perché la luce era saltata. Io ho lasciato Annibale attraversare le Alpi e ho lasciato che le oche nel Campidoglio lo aspettassero agguerrite, ho rivolto lo sguardo fuori dalla finestra dai vetri appannati e ho visto la mia immagine opaca e sfocata: senza amore un uomo non è niente, diario, non è niente... (e io non sono una donna...).

25 gennaio 2001

Oggi lui compie diciannove anni. Appena sveglia ho preso il cellulare e il bip bip dei tasti è risuonato per la mia camera; gli ho mandato un messaggio di auguri al quale so che non risponderà con un grazie, forse si farà una sana risata leggendolo. E non si potrà più contenere quando leggerà l'ultima frase che gli ho scritto: «Ti amo, ed è tutto quello che conta».

4 marzo 2001
ore 7,30

È passato molto tempo dall'ultima volta che ho scritto e non è cambiato pressoché nulla; mi sono trascinata in questi mesi e ho portato sulle mie spalle l'inadeguatezza nei confronti del mondo; vedo intorno solo mediocrità e mi fa star male persino l'idea di uscire. Per andare dove? Con chi?

Nel frattempo i miei sentimenti per Daniele sono aumentati e adesso sento scoppiare il desiderio di averlo mio.

Non ci vediamo dalla mattina in cui me ne andai piangendo da casa sua e solo ieri sera una sua telefonata ha rotto la monotonia che in tutto questo tempo mi ha accompagnata. Spero tanto che non sia cambiato, che tutto in lui sia rimasto uguale a quella mattina in cui feci la mia conoscenza con l'Ignoto.

Sentire la sua voce mi ha risvegliata da un lungo e pesante sonno. Mi ha chiesto come me la passavo, cosa avevo fatto in questi mesi, poi ridendo ha chiesto se le tette sono cresciute e io gli ho risposto di sì, anche se non è affatto vero. Dopo aver speso le ultime parole di circostanza gli ho detto la stessa cosa di quella mattina, cioè che avevo voglia di farlo. In questi mesi la voglia è stata lacerante; mi sono toccata all'esasperazione, provando migliaia di orgasmi. Il desiderio s'impadroniva di me persino durante le ore di lezione, ore in cui, sicura che nessuno mi stesse guardando, poggiavo il mio Segreto sul piedistallo in ferro del banco e facevo una leggera pressione con il corpo.

Stranamente ieri non mi ha derisa, anzi è rimasto in silenzio mentre gli confidavo la mia voglia e ha detto che non c'era nulla di strano, che era giusto che avessi certi desideri.

«Anzi», ha detto, «dato che ti conosco da qualche tempo, posso aiutarti a realizzarli».

Ho sospirato e ho scosso la testa: «In otto mesi una ragazzina può cambiare e arrivare a capire certe cose che prima non capiva. Daniele, dì piuttosto che non hai fiche a disposizione e che improvvisamente», e «finalmente!», ho pensato, «ti sei ricordato di me», ho sbottato.

«Ma tu sei completamente andata! Fammi chiudere, non è il caso di parlare con una come te».

Spaventata di ricevere un'altra volta la porta in faccia da lui mi sono piegata a esclamare un «No» implorante e poi: «Va bene, va bene. Scusami».

«Vedo che sai ragionare... ho una proposta da farti», ha detto.

Curiosa di ciò che stava per dirmi l'ho incitato in maniera infantile a parlare e lui ha detto che l'avrebbe fatto con me solo se fra noi non fosse nato nulla, ma solo una storia di sesso nella quale ci saremmo cercati soltanto quando ne avessimo avuto voglia. Ho pensato che a lungo andare anche una storia di sesso può tramutarsi in una storia d'amore e l'affetto, anche se non compare i primi tempi, comparirà con l'abitudine. Mi sono prostrata al suo volere pur di assecondare i miei capricci: sarò la sua piccola amante a scadenza, quando si sarà stufato mi scaricherà senza troppi problemi. Vista così la mia prima volta sembrerebbe un accordo vero e proprio mancante forse di un documento scritto che lo suggelli e lo attesti fra un essere troppo furbo e un essere troppo curioso e voglioso che ha accettato i patti a testa china e con un cuore che manca poco che esploda.

Spero però nella buona riuscita, perché il ricordo voglio conservarlo dentro per sempre e voglio che sia bello, lucente, poetico.

Sento il mio corpo distrutto e pesante, incredibilmente pesante. È come se qualcosa di molto grande mi fosse caduto addosso e mi avesse schiacciata. Non mi riferisco al dolore fisico, ma a un dolore diverso, dentro. Dolore fisico non ne ho provato anche se quando stavo sopra...

Stamattina ho preso dal garage il mio scooter e sono andata nella sua casa in centro. Era mattina presto, mezza città dormiva ancora e le strade erano pressoché sgombre; di tanto in tanto qualche camionista suonava rumorosamente e mi lanciava un complimento e io sorridevo un poco perché pensavo che gli altri potevano scorgere la mia allegria, che mi fa più bella e luminosa.

Arrivata sotto casa ho guardato l'orologio e mi sono accorta di essere tremendamente in anticipo, come sempre. Allora mi sono seduta sul motorino, ho aperto la cartella e ho preso il libro di greco per ripassare la lezione che avrei dovuto ripetere in classe questa stessa mattina (se i miei prof sapessero che ho bigiato la scuola per andare a letto con un ragazzo!). Ero tuttavia ansiosa e sfogliavo e risfogliavo il libro senza poter leggere una parola, sentivo il cuore pulsare veloce, il sangue, velocissimo nelle mie vene, lo sentivo scorrere sotto la pelle. Ho posato il libro e mi sono specchiata sullo specchietto dello scooter. Ho pensato che i miei occhiali rosa a goccia lo avrebbero incantato e che il ponch nero sopra le mie spalle lo avrebbe stupito; ho sorriso mordendomi le labbra e mi sono sentita orgogliosa di me. Mancavano solo cinque minuti alle nove, non sarebbe stato un dramma se avessi suonato in anticipo.

Subito dopo aver citofonato l'ho intravisto a dorso nudo dietro la finestra, ha alzato la persiana e ha detto con un viso e un tono duri, ironici: «Mancano cinque minuti, aspetta lì, ti chiamerò io alle nove esatte». In quel momento ho riso stupidamente, ma adesso ripensandoci credo che il suo fosse un messaggio in cui voleva ben chiarire chi fosse quello che decideva le regole e chi quella che doveva rispettarle.

È uscito fuori in balcone e ha detto: «Puoi entrare».

Sulle scale sentivo odore di piscio di gatto e di fiori lasciati ad appassire, ho udito una porta aprirsi e ho scalato gli scalini a due a due, perché non volevo ritardare niente. Aveva lasciato la porta aperta e sono entrata chiamandolo piano; ho sentito dei rumori in cucina e mi sono diretta verso la stanza, lui mi è venuto incontro fermandomi con un bacio sulle labbra veloce ma bello, che mi ha fatto ricordare il suo sapore di fragola.

«Vai di là, arrivo fra un attimo», ha detto indicandomi la prima stanza a destra.

Sono entrata nella sua camera in pieno disordine, era evidente che si fosse svegliata da poco assieme a lui. Sul muro erano attaccate targhe di automobili americane, poster di cartoni animati manga e svariate foto dei suoi viaggi. Sul comodino c'era una sua foto da bambino, l'ho toccata piano con un dito e da dietro lui ha abbassato la cornicetta dicendomi che non dovevo guardarla.

Mi ha afferrato le spalle e mi ha fatta voltare, mi ha scrutata attentamente e ha esclamato: «Come cazzo ti sei vestita?!».

«Vaffanculo, Daniele», ho risposto ancora una volta ferita.

Il telefono ha squillato e lui è uscito dalla stanza per rispondere; non sentivo bene ciò che diceva, solo parole smorzate e risate soffocate. A un certo punto ho sentito: «Aspettami lì. Vado a vederla e poi te lo dico».

Allora ha affacciato la testa dalla porta e mi ha guardata, è ritornato al telefono e ha detto: «Sta in piedi vicino al letto con le mani in tasca. Ora me la scopo e poi ti dico. Ciao».

È ritornato con il volto sorridente e io ho risposto con un sorriso nervoso.

Senza dire niente ha abbassato la persiana e ha chiuso a chiave la porta della sua camera; mi ha guardata per un istante e si è abbassato i pantaloni, rimanendo in mutande.

«Be'? Cosa fai ancora vestita? Spogliati, no?», ha detto con una smorfia sul viso.

Rideva mentre mi spogliavo e, una volta rimasta completamente nuda, mi ha detto inclinando un poco la testa: «Be'... non sei poi così male. Ho fatto un accordo con una bella figa». Non ho sorriso questa volta, ero nervosa, guardavo le mie braccia bianche e candide che splendevano per i raggi che filtravano appena dalla finestra. Ha cominciato a baciarmi sul collo ed è sceso man mano più giù, sui seni e poi sul Segreto, dove già il Lete aveva cominciato a scorrere.

«Perché non te la depili?», ha sussurrato.

«No», ho detto con lo stesso volume di voce, «mi piace più così».

Abbassando la testa potevo notare la sua eccitazione e allora gli ho chiesto se voleva cominciare.

«Come ti andrebbe di farlo?», ha chiesto senza indugiare.

«Non so, dimmi tu... non l'ho mai fatto», ho risposto con un pizzico di vergogna.

Mi sono sdraiata sul suo letto sfatto e dalle lenzuola

fredde, Daniele si è messo sopra di me, mi ha guardata dritta negli occhi e mi ha detto: «Mettiti sopra».

«Non mi farò male stando sopra?», ho chiesto con un tono quasi di rimprovero.

«Non importa», ha esclamato senza guardarmi.

Mi sono arrampicata su di lui e ho lasciato che la sua asta centrasse il centro del mio corpo. Ho provato un po' di dolore, ma niente di terribile. Sentirlo dentro di me non ha provocato quello sconvolgimento che mi ero aspettata, anzi. Il suo sesso dentro provocava solo bruciore e fastidio, ma è stato doveroso per me rimanere incastrata a lui a quel modo.

Non un gemito dalle mie labbra, tese in un sorriso. Fargli comprendere il mio dolore sarebbe stato esprimere quei sentimenti che lui non vuole conoscere. Vuole servirsi del mio corpo, non vuole conoscere la mia luce.

«Dai, piccola, non ti farò male», ha detto

«No, tranquillo, non ho paura. Ma non potresti metterti tu sopra?», ho chiesto con un sorriso lieve. Con un sospiro ha acconsentito e si è buttato sopra di me.

«Senti qualcosa?», mi ha chiesto mentre cominciava a muoversi piano.

«No», ho risposto credendo che si riferisse al dolore.

«Come no? Sarà il preservativo?».

«Non so», ho continuato, «non sento nessun male».

Mi ha guardata disgustato e ha detto: «Tu, cazzo, non sei vergine!».

Non ho risposto subito e l'ho guardato stupefatta: «Come no? Scusa, che significa?».

«Con chi l'hai fatto, eh?», ha chiesto mentre si alzava frettolosamente dal letto e riprendeva i vestiti sparsi sul pavimento.

«Con nessuno, giuro!», ho detto forte.

«Per oggi abbiamo finito».

Il resto è inutile raccontarlo, diario. Sono andata via senza nemmeno il coraggio di piangere o di urlare, solo con una tristezza infinita che mi stringe il cuore e lo divora piano piano.

6 marzo 2001

Oggi mia madre a pranzo mi ha guardata con occhi investigativi e mi ha chiesto con un tono imponente cosa ho tanto da pensare in questi giorni.

«La scuola», ho risposto con un sospiro, «mi stanno riempiendo di compiti».

Mio padre continuava a inforchettare gli spaghetti, sollevando lo sguardo per poter meglio vedere al telegiornale gli ultimi risvolti della politica italiana. Mi sono asciugata le labbra alla tovaglia e l'ho macchiata di sugo; sono andata velocemente via dalla cucina mentre mia madre continuava a imprecare che non ho mai rispetto per niente e per nessuno, che lei alla mia età era responsabile e puliva le tovaglie piuttosto che sporcarle.

«Sì sì!», urlavo dall'altra stanza. Ho disfatto il letto e mi sono accucciata sotto le coperte, bagnando le lenzuola con le mie lacrime.

L'odore di ammorbidente si mischiava al bizzarro odore del muco che mi colava dal naso, l'ho asciugato con il palmo della mano e ho asciugato anche le lacrime. Ho osservato il ritratto appeso alla parete che un pittore brasiliano mi ha fatto a Taormina qualche tempo fa; mi aveva fermata mentre camminavo e mi aveva detto: «Hai un volto così bello, lascia che lo disegni. Lo faccio gratis, davvero».

E mentre la sua matita tracciava linee sul foglio i suoi occhi splendevano e sorridevano al posto delle labbra, che invece rimanevano chiuse.

«Perché pensa che abbia un bel volto?», gli ho chiesto mentre stavo in posa.

«Perché esprime bellezza, candore, innocenza e spiritualità», ha risposto con larghi gesti delle mani.

Dentro le coperte ho ripensato alle parole del pittore e poi alla scorsa mattina quando ho perso quello che il vecchio brasiliano aveva trovato di raro in me. L'ho perso fra delle lenzuola troppo fredde e fra le mani di chi ha divorato il proprio cuore, e adesso non pulsa più. Morto. Io un cuore ce l'ho, diario, anche se lui non se ne accorge, anche se forse nessuno mai se ne accorgerà. E prima di aprirlo, a qualsiasi uomo darò il mio corpo, per due motivi: perché forse assaporandomi gusterà il sapore della rabbia e dell'amarezza e perciò proverà un minimo di tenerezza, poi perché s'innamorerà della mia passione fino a non poterne più fare a meno. Solo dopo darò completamente me stessa, senza indugi, senza costrizioni, perché niente di ciò che ho sempre desiderato venga perduto. Me lo terrò stretto fra le braccia e lo farò crescere come un fiore raro e delicato, attenta che uno schiaffo del vento non lo sciupi all'improvviso, lo giuro.

9 aprile 2001

Le giornate sono migliori, la primavera quest'anno è esplosa senza mezze misure. Un giorno mi sveglio e trovo i fiori sbocciati e l'aria più tiepida, mentre il mare raccoglie il riflesso del cielo tramutandosi in un blu intenso. Come ogni mattina prendo lo scooter per arrivare a scuola; il freddo è ancora pungente, ma il sole nel cielo promette che più tardi la temperatura si alzerà. Sporgono dal mare i Faraglioni che Polifemo lanciò a Nessuno dopo che questi lo ebbe accecato. Sono conficcati sul fondo marino, stanno lì da chissà quanto tempo e né le guerre, né i terremoti e nemmeno le violente colate dell'Etna li hanno mai fatti sprofondare. Si ergono imponenti sull'acqua e nella mia mente penso a quanta mediocrità, quanta piccolezza possa esistere nel mondo. Noi parliamo, ci muoviamo, mangiamo, compiamo tutte le azioni che per un essere umano è dovere compiere ma, a differenza dei Faraglioni, non rimaniamo sempre allo stesso posto, allo stesso modo. Ci deterioriamo, diario, le guerre ci uccidono, i terremoti ci sfiniscono, la lava c'inghiotte e l'amore ci tradisce. E non siamo nemmeno immortali; ma forse questo è un bene, no?

Ieri le pietre di Polifemo sono rimaste a guardarci mentre lui si muoveva convulsamente sul mio corpo, non badando ai miei brividi di freddo e ai miei occhi puntati altrove, sul riflesso della luna in acqua. Abbiamo fatto tutto in silenzio, come sempre, allo stesso modo, ogni volta. Il suo viso affondava dietro le mie spalle e sentivo il suo fiato sul collo, non più caldo, ma freddo. La sua saliva bagnava ogni centimetro della mia pelle come se una lumaca lenta e pigra lasciasse la propria scia viscosa. E la sua pelle non ricordava più la pelle dorata e sudata che avevo baciato una mattina d'estate; le sue labbra non sapevano più di fragola, non avevano più nessun sapore. Al momento di offrirmi la sua pozione segreta ha emesso il solito rantolo di piacere, sempre più un grugnito. Si è staccato dal mio corpo e si è sdraiato sul telo di fianco al mio, sospirando come se si fosse liberato da un peso ingombrante. Poggiando il corpo su un fianco ho osservato le curve della sua schiena e le ho ammirate; ho accennato un lento avvicinarsi della mano ma ho ritirato subito il mio gesto, intimorita dalla sua reazione. Ho continuato a guardare lui e i Faraglioni per molto tempo, un occhio a lui e un altro a loro; poi spostando lo sguardo mi sono accorta della luna in mezzo e l'ho guardata ammirata socchiudendo gli occhi per metterne a fuoco meglio la rotondità e il colore indefinibile.

Mi sono girata di scatto, come se all'improvviso avessi compreso qualcosa, un mistero prima irraggiungibile: «Non ti amo», ho sussurrato piano, come a me stessa.

Non ho nemmeno avuto il tempo di pensarlo.

Si è girato piano, ha aperto gli occhi e ha chiesto: «Che cazzo hai detto?».

L'ho guardato per un po' con il viso fermo, immobile e a voce più alta ho detto: «Non ti amo».

Ha corrugato la fronte e le sopracciglia si sono avvicinate, quindi ha esclamato forte: «Chi cazzo mai te l'ha chiesto!».

Siamo rimasti in silenzio, e lui si è spostato di nuovo di schiena; in lontananza ho sentito chiudere la portiera di un'auto e poi i risolini di una coppietta. Daniele si è girato verso di loro e infastidito ha detto: «Che cazzo vogliono questi... perché non scopano da un'altra parte e mi lasciano riposare in pace?».

«Avranno pure loro il diritto di scopare dove vogliono, no?», ho detto osservando il luccichìo dello smalto trasparente sulle mie unghie.

«Senti gioia... non devi dirmi tu cosa devono o non devono fare gli altri. Decido io, sempre io, anche su di te ho sempre deciso e sempre deciderò io».

Mentre parlava mi sono voltata, infastidita, sdraiandomi sul telo umido; lui mi ha scosso rabbiosamente le spalle ed emetteva suoni indecifrabili a denti stretti. Non mi sono mossa, ogni muscolo del mio corpo era fermo.

«Tu non puoi trattarmi così!», urlava, «tu non puoi sbattertene di me... quando parlo devi stare ad ascoltare, e non permetterti più di girarti, hai capito?».

Allora mi sono voltata di scatto, gli ho afferrato i polsi e li ho sentiti deboli sotto le mie mani. Ho provato pietà per lui, mi sono sentita stringere il cuore.

«Io starei ad ascoltarti per ore e ore se solo mi parlassi, se solo me lo permettessi», ho detto piano.

Ho visto e sentito il suo corpo rilassarsi e i suoi occhi stringersi e piegarsi all'ingiù.

È scoppiato in lacrime e si è coperto il volto con le mani per la vergogna; poi si è accucciato nuovamente sopra il telo e a gambe piegate rassomigliava ancora di più a un bambino indifeso e innocente.

Gli ho dato un bacio sulla guancia, ho piegato silenziosa e cauta il mio telo, ho raccolto tutte le mie cose e piano mi sono diretta verso la coppietta. Erano entrambi abbracciati, l'uno sentiva l'odore dell'altro annusando il suo collo; mi sono fermata un attimo a guardarli e fra il leggero rumore delle onde del mare ho sentito un «ti amo» sussurrato.

Mi hanno riaccompagnata a casa, li ho ringraziati scusandomi di averli interrotti ma loro mi hanno rassicurata dicendomi che erano felici di avermi aiutata.

Adesso diario mentre ti scrivo mi sento in colpa. L'ho lasciato sulla spiaggia umida a piangere lacrime dure e pietose, sono andata via come una vigliacca e ho lasciato che si facesse del male. Ma ho fatto tutto per lui, e anche per me. Spesso mi ha lasciata piangere e invece di stringermi mi ha mandata via deridendomi; adesso non sarà un dramma per lui rimanere solo. E non lo sarà nemmeno per me.

30 aprile 2001

Sono felice, felice, felice! Non è successo niente per cui debba esserlo, eppure lo sono. Nessuno mi chiama mai, nessuno mi cerca, eppure sprizzo allegria da tutti i pori, sono contenta all'inverosimile. Tutte le paranoie le ho scacciate via, non ho più l'ansia nell'attendere una sua telefonata, non ho più quell'angoscia di sentirlo sopra di me dimenarsi infischiandosene del mio corpo e di me. Non devo più raccontare bugie a mia madre, quando, tornata da chissà quale posto, mi chiedeva dove fossi stata. E io puntualmente rispondevo con una qualunque cazzata: al centro a bere una birra, al cinema oppure a teatro. E prima di addormentarmi fantasticavo con la mente e pensavo cosa avrei fatto se davvero fossi andata in quei posti. Mi sarei divertita, certamente, avrei conosciuto gente, avrei avuto una vita che non fosse solo scuola, casa e sesso con Daniele. E adesso quest'altra vita la voglio, non importa quanto c'impiegherò, adesso voglio qualcuno a cui interessi Melissa. La solitudine mi sta distruggendo forse, ma non mi fa paura. Io sono la migliore amica di me stessa, io non potrei mai tradirmi, mai abbandonarmi. Ma forse farmi del male, farmi del male forse sì. E non perché godo nel farlo, ma perché voglio punirmi in qualche modo. Ma come fa una come me ad amarsi e punirsi nello stesso tempo? È una contraddizione, diario, lo so. Ma mai amore e odio sono stati così vicini, così complici, così dentro di me.

7 luglio 2001
12,38 della notte

Oggi l'ho rivisto, ha abusato ancora una volta, e spero per l'ultima, dei miei sentimenti. È iniziato tutto come sempre, ed è finito tutto allo stesso modo. Sono una stupida, diario, non avrei dovuto permettergli di avvicinarsi ancora.

5 agosto 2001

È finita, per sempre. E mi compiaccio a dire che io non sono finita, anzi, sto ricominciando a vivere.

11 settembre 2001
15,25

Forse Daniele sta guardando le stesse immagini alla TV, le stesse che vedo io.

28 settembre 2001
9,10

La scuola è iniziata da poco e già si respira il clima di scioperi, manifestazioni e assemblee con sempre gli stessi argomenti; immagino già i volti arrossati di quelli del collettivo che si scontrano contro quelli di azione. Fra qualche ora comincerà la prima assemblea di quest'anno, che avrà come argomento la globalizzazione; in questo momento sono in aula, durante un'ora di supplenza, dietro di me ci sono alcune mie compagne che parlano dell'ospite che terrà l'assemblea stamattina. Dicono che sia un bel tipo, con un viso angelico e un'intelligenza acuta, sghignazzano quando una di loro dice che l'intelligenza acuta le interessa ben poco, le interessa di più il viso angelico. Quelle che stanno parlando sono le stesse che qualche mese fa mi hanno sputtanata in giro dicendo che l'avevo data a uno che non era il mio ragazzo; e io mi ero fidata di una di loro, le avevo raccontato tutto di Daniele e lei mi aveva abbracciata, pronunciando un «mi dispiace» palesemente ipocrita.

«Perché, non ti faresti sbattere da uno così?», chiede la stessa di prima a un'altra.

«No, lo violenterei contro la sua volontà», risponde ridendo l'altra.

«E tu Melissa?», mi chiede. «Tu cosa ci faresti?».

Mi sono voltata e le ho detto che non lo conosco e che non ho voglia di fare niente. Ora le sento ridere, e le loro risate si confondono con il suono metallico e squillante della campana che indica la fine dell'ora.

16,35

Sul palchetto montato per l'assemblea, non mi sono curata delle dogane abbattute o dei McDonald's incendiati, sebbene sia stata scelta per verbalizzare l'incontro. Sulla lunga scrivania io ero al centro, ai miei lati gli ospiti delle avverse fazioni. Il ragazzo dal viso angelico era seduto accanto a me, con una penna in bocca che rosicchiava indecentemente. E mentre il destriota convinto si scontrava con il sinistriota accanito, i miei occhi osservavano la biro blu incastrata fra i denti di lui.

«Scrivi il mio nome fra gli interventi», ha detto a un certo punto con il viso rivolto al suo foglietto degli appunti.

«Qual è il tuo nome?», ho chiesto con tono discreto.

«Roberto», ha detto questa volta guardandomi, sorpreso che non lo sapessi già.

Si è alzato per parlare, il suo discorso era forte e coinvolgente. Lo osservavo mentre si muoveva con fare disinvolto tenendo in mano il microfono e la penna, la platea attentissima sorrideva per le sue battute ironiche che sapevano colpire nel punto giusto. È uno studente di giurisprudenza, pensavo, è normale che abbia certe abilità oratorie; notavo di tanto in tanto che si girava per guardarmi e io, un po' maliziosamente eppure in maniera naturale, ho aperto la camicetta scoprendo il collo, fino alla congiuntura dei seni bianchi. Forse si è accorto del mio gesto e infatti ha iniziato a voltarsi più spesso e con aria un tantino imbarazzata e incuriosita mi lanciava delle occhiate, almeno così mi è sembrato. Finito il discorso, si è seduto e ha rimesso la penna in bocca non badando agli applausi che gli venivano rivolti. Poi si è girato verso di me, che nel frattempo avevo ricominciato a verbalizzare, e ha detto: «Non ricordo il tuo nome».

Ho avuto voglia di giocare: «Non te l'ho ancora detto», ho risposto.

Ha mosso leggermente in su la testa e ha detto: «Già!».

L'ho visto ricominciare a scrivere i suoi appunti, mentre io un po' sorridevo, contenta che lui stesse aspettando che gli dicessi il mio nome.

«E non vuoi dirlo?», ha chiesto scrutandomi attentamente il viso.

Ho sorriso candidamente: «Melissa», ho detto.

«Mmm... hai il nome delle api. Ti piace il miele?».

«Troppo dolce», ho risposto, «preferisco i sapori più forti».

Ha scosso la testa, ha sorriso e abbiamo continuato a scrivere ognuno per conto proprio. Dopo un po' si è alzato per fumare una sigaretta e lo vedevo ridere e gesticolare animatamente con un altro ragazzo, anch'egli molto bello, e talvolta mi guardava e sorrideva portando la sigaretta mozzata in bocca. Da lontano sembrava più sottile e slanciato e i suoi capelli sembravano morbidi e profumati, piccoli boccoli color bronzo che cadevano dolcemente sul viso. Stava poggiato al palo della luce trasferendo tutto il peso su un'anca, che sembrava tirasse su con la mano dentro la tasca dei pantaloni, una camicia a quadrettoni verdi balzava fuori scomposta e gli occhiali rotondi completavano il suo aspetto da intellettuale. Il suo amico l'avevo visto parecchie volte fuori da scuola che distruibuiva volantini, porta sempre un toscanello in bocca, acceso o spento che sia.

Finita l'assemblea stavo raccogliendo i fogli sparsi per la scrivania che avrei dovuto allegare al mio verbale, a un certo punto è arrivato Roberto che mi ha stretto la mano e mi ha salutata con un largo sorriso.

«Arrivederci, compagna!».

Mi sono messa a ridere e gli ho confessato che essere chiamata compagna mi piace, è divertente.

«Su su! Che fai lì a chiacchierare? Non vedi che l'assemblea è finita?», ha detto il vicepreside battendo le mani.

Oggi sono contenta, ho fatto questa bella conoscenza e spero che non finisca qui. Lo sai, diario, io persevero molto se voglio raggiungere qualcosa. Adesso voglio il suo numero e sono sicura che riuscirò a ottenerlo. Dopo il suo numero vorrò quello che tu già sai, ossia prendere spazio fra i suoi pensieri. Ma prima di ciò sai cosa devo dare...

10 ottobre 2001
17,15

Oggi è una giornata umida e triste, il cielo è grigio e il sole una macchia pallida e sfocata. Stamattina ha piovuto poco e piano, mentre adesso manca un niente che i fulmini facciano saltare la corrente. Ma non m'importa della giornata, io sono felicissima.

All'uscita di scuola i soliti avvoltoi che vogliono venderti qualche libro o convincerti con qualche volantino, indifferenti persino alla pioggia. Coperto dall'impermeabile verde e con il toscanello in bocca c'era l'amico di Roberto che distribuiva dei fogli rossi con il sorriso stampato in volto. Quando si è avvicinato per darlo anche a me l'ho guardato interdetta poiché non ho saputo cosa fare, come comportarmi. Ho sussurrato un timido grazie e ho continuato a camminare molto lentamente pensando che un'occasione così non mi sarebbe capitata di nuovo tanto facilmente. Ho scritto il mio numero sul foglio e, tornando indietro, gliel'ho ridato.

«Che fai, me lo ritorni piuttosto che buttarlo come fanno gli altri?», mi ha chiesto sorridente.

«No, voglio che lo dai a Roberto», ho detto.

Stupito allora ha esclamato: «Ma Roberto ne ha centinaia di questi fogli».

Mi sono morsa le labbra e ho detto: «A Roberto interesserà quello che c'è scritto dietro...».

«Ah... ho capito...», ha detto ancora più stupito, «tranquilla, lo vedrò dopo e glielo farò avere».

«Grazie mille!», avrei voluto dargli un sonoro bacio sulla guancia.

Mentre andavo via mi sento chiamare, mi volto ed è lui che viene correndo.

«Comunque mi chiamo Pino, piacere. Tu Melissa, vero?», ha detto ansimando.

«Sì, Melissa... vedo che non hai tardato a leggere dietro il foglio».

«Eh... che vuoi farci...», ha detto sorridendo, «la curiosità è propria degli intelligenti. Tu sei curiosa?».

Ho chiuso gli occhi e ho detto: «Tantissimo».

«Vedi? Allora sei intelligente».

Sfamato il mio ego e sazia di contentezza l'ho salutato e sono andata verso la piazzetta di ritrovo di fronte a scuola, semi-vuota per colpa della cattiva giornata. Ho tardato un po' a prendere il motorino, il traffico all'ora di punta è orribile persino se si guida uno scooter. Qualche minuto dopo squilla il cellulare.

«Pronto?».

«Ehm... ciao, sono Roberto».

«Uei, ciao».

«Mi hai sorpreso, sai?».

«Mi piace osare. Avresti anche potuto non chiamarmi, ho corso il rischio di avere una porta sbattuta in faccia».

«Hai fatto benissimo. Sarei venuto io a chiedertelo una di queste volte. Solo che, sai... la mia ragazza frequenta il tuo stesso liceo...».

«Ah, sei fidanzato...».

«Sì, ma... non importa».

«...nemmeno a me importa».

«Ma dimmi, come mai mi hai cercato?».

«E tu come mai mi avresti cercato?».

«Be'... l'ho chiesto prima a te».

«Perché voglio conoscerti meglio e voglio passare un po' di tempo con te...».

Silenzio.

«Adesso tocca a te».

«Idem. Anche se la premessa la sai: sono già impegnato».

«Credo poco negli impegni, smettono di essere tali quando si finisce di credere in loro».

«Ti va di incontrarci domani mattina?».

«No, domani no, ho scuola. Facciamo venerdì, c'è lo sciopero. Dove?».

«Davanti alla mensa universitaria alle 10,30».

«Ci sarò».

«Ciao allora, a venerdì».

«A venerdì, un bacio».

14 ottobre 2001
17,30

Sono arrivata al solito in incredibile anticipo, il tempo sempre uguale a quello di quattro giorni fa, una monotonia incredibile.

Dalla mensa proveniva odore di aglio e nel punto in cui ero io potevo ascoltare le cuoche rumoreggiare con le pentole e sparlare di qualche collega. Qualche studente passava e mi guardava strizzandomi l'occhio e io fingevo di non vederlo. Ero più attenta alle cuoche e ai loro discorsi che ai miei pensieri; ero tranquilla, per nulla nervosa, mi sono lasciata trascinare dal mondo esterno e non ho badato moltissimo a me.

Lui è arrivato con la sua auto gialla, imbacuccato in modo esagerato, con un'enorme sciarpa che gli copriva metà viso e lasciava scoperti solo gli occhiali.

«È per non farmi riconoscere, sai com'è... la mia ragazza. Prenderemo delle strade secondarie, impiegheremo un po' di più ma almeno non ci sarà rischio», ha detto una volta che sono salita.

Sul vetro della macchina la pioggia la sentivo battere più forte, sembrava volesse romperlo. Il posto in cui eravamo diretti era la sua casa di villeggiatura alle pendici dell'Etna, fuori città. I rami secchi e bruni degli alberi squarciavano il cielo nebuloso con piccole crepe, gli stormi volavano a fatica attraverso la pioggia fitta, ansiosi di arrivare nel luogo più caldo. E anch'io avrei voluto spiccare il volo per arrivare nel posto più caldo. In me nessuna ansia: è stato come partire da casa per andare a iniziare un nuovo lavoro, per niente emozionante, anzi. Un lavoro doveroso e faticoso.

«Apri il cruscotto, dovrebbero esserci dei CD».

Ne ho presi un paio, poi ho scelto Carlos Santana.

Abbiamo parlato della scuola, della sua università e poi di noi.

«Io non voglio che mi giudichi male», ho detto.

«Scherzi? Sarebbe come giudicare male me stesso... insomma stiamo facendo entrambi la stessa cosa, allo stesso modo. Anzi, forse per me è ancora più disonorevole dal momento che sono fidanzato. Ma vedi, lei...».

«Non te la dà», l'ho interrotto con un sorriso.

«Esatto», ha detto lui con lo stesso sorriso.

Ha imboccato una stradina mal fatta e poi si è fermato davanti a un portone verde. È sceso dall'auto e ha aperto il portone; risalito di nuovo in macchina ho notato il volto di Che Guevara stampato sulla sua maglietta completamente fradicio.

«Cazzo!», ha esclamato. «Siamo ancora in autunno e già un tempo talmente di schifo», poi si è voltato e ha chiesto: «Ma tu non sei un po' emozionata?».

Ho serrato lo labbra arricciando il mento e ho scosso il capo, dopo un po' ho detto: «No, per nulla».

Per arrivare alla porta mi sono coperta la testa con la borsa e correndo sotto quella pioggia abbiamo riso molto, come due cretini.

La casa era completamente buia; quando poi sono entrata ho sentito un freddo gelido. Mi muovevo a stento nel buio pesto, lui evidentemente c'era abituato, conosceva tutti gli angoli e perciò camminava con una certa disinvoltura. Sono rimasta ferma in un punto dove sembrava ci fosse più luce e ho visto un divano su cui ho posato la mia borsa.

Roberto è arrivato da dietro, mi ha voltata e mi ha baciata con tutta la lingua. Mi ha fatto un po' schifo questo bacio, non era affatto simile a quello di Daniele. Mi trasmetteva la sua saliva, lasciandola colare un po' sulle labbra. L'ho allontanato garbatamente senza fargli capire niente e mi sono asciugata con il palmo della mano. Mi ha preso quella stessa mano e mi ha condotta in camera da letto, sempre nello stesso buio e nello stesso freddo.

«Non puoi accendere la luce?», ho chiesto mentre mi baciava il collo.

«No, mi piace più così».

Mi ha lasciata sul grande letto, si è inginocchiato davanti e mi ha tolto le scarpe. Io non ero eccitata e nemmeno impassibile. Mi sembrava di stare facendo tutto solo perché a lui faceva piacere.

Mi ha spogliata come se fossi un manichino in una vetrina, come un commesso svelto e indifferente che sveste il bamboccio senza però rivestirlo.

Viste le mie calze ha chiesto stupito: «Ma porti le autoreggenti?».

«Sì, sempre», ho risposto.

«Ma sei una grande maiala!», ha esclamato forte.

Mi sono vergognata del suo commento fuori luogo, ma ancora di più sono rimasta colpita dal suo cambiamento da ragazzo garbato ed educato a uomo rude e volgare. Aveva gli occhi accesi e famelici, le mani che frugavano sotto la camicetta, sotto gli slip.

«Vuoi che le lasci indossate?», ho chiesto per assecondare le sue voglie.

«Certo, lasciale, sei più porca».

Le mie guance sono arrossite di nuovo, ma poi ho sentito piano piano il mio focolare accendersi e la realtà allontanarsi gradualmente. La Passione stava prendendo il sopravvento.

Sono scesa dal letto e ho percepito il pavimento incredibilmente freddo e liscio sotto i miei piedi. Aspettavo che lui mi prendesse e mi facesse quello che voleva.

«Succhiamelo, troia», ha sussurrato.

Non ho badato alla mia vergogna, l'ho scacciata via subito e ho fatto quello che mi aveva chiesto di fare. Ho sentito il suo membro diventare duro e grande, mi ha preso per le ascelle e mi ha sollevata verso il letto.

Mi ha messa come una bambola inerme sopra di lui e ha indirizzato la sua lunga asta verso il mio sesso, ancora così poco aperto e così poco bagnato.

«Voglio farti sentire dolore. Dai, urla, fammi sentire che ti sto facendo male».

In effetti il male c'è stato, sentivo le pareti bruciare e la dilatazione è avvenuta controvoglia.

Urlavo mentre la stanza buia mi girava intorno. L'imbarazzo era andato via e al suo posto c'era solo il desiderio di farlo mio.

«Se urlo», ho pensato, «sarà contento, me l'ha chiesto lui. Farò tutto quello che mi dirà di fare».

Urlavo e sentivo male, nessun filo di piacere mi stava attraversando. Lui invece è scoppiato, la sua voce si è tramutata e le sue parole sono diventate oscene e volgari.

Me le lanciava contro e mi entravano dentro con una tale violenza da superare persino la sua penetrazione.

Tutto è poi ritornato come prima. Ha ripreso gli occhiali sopra il comodino, ha buttato il preservativo prendendolo con un fazzoletto, si è rivestito con calma, mi ha accarezzato la testa e in macchina abbiamo parlato di Bin Laden e Bush come se niente prima fosse successo...

25 ottobre 2001

Roberto mi chiama spesso, dice che sentirmi lo riempie di allegria e gli fa venire voglia di fare l'amore. Quest'ultima cosa la dice piano, non vuole farsi sentire e poi si vergogna un po' ad ammetterlo. Gli dico che per me è la stessa cosa e che lo penso spesso toccandomi. Non è vero, diario. Lo dico solo per il suo orgoglio, lui, pieno di sé, dice sempre: «Lo so che sono un buon amante. Piaccio molto alle donne».

È un angelo presuntuoso, è irresistibile. La sua immagine mi rincorre durante la giornata, ma lo penso più come il ragazzo garbato che come l'amante passionale. E quando si trasforma mi fa sorridere, penso che sappia tenersi bene in equilibrio ed essere persone diverse in momenti diversi. Al contrario di me, che sono sempre la stessa, sempre uguale. La mia passione è dovunque, così come la mia malizia.

1 dicembre 2001

Gli ho detto che dopodomani farò il compleanno e lui
ha esclamato: «Bene, allora dobbiamo festeggiare in ma-
niera appropriata».
Ho sorriso e ho detto: «Roby, abbiamo appena festeg-
giato ieri abbastanza bene. Non sei soddisfatto?».
«Eh, no... ho detto che il giorno del tuo compleanno
sarà speciale. Tu conosci Pino, vero?».
«Sì, certo», ho risposto.
«Ti piace?».
Timorosa di rispondere qualcosa che lo avrebbe fatto
allontanare da me ho indugiato un po', poi ho deciso di
dire la verità: «Sì, parecchio».
«Molto bene. Ti vengo a prendere dopodomani allora».
«Va bene...», ho chiuso la cornetta incuriosita da que-
sto suo strano fermento. Mi affido a lui.

3 dicembre 2001
4,30 del mattino

Il mio sedicesimo compleanno. Voglio fermarmi adesso
e non andare più avanti. A sedici anni sono padrona delle
mie azioni, ma anche vittima del caso e dell'imprevedibilità.
Uscita dal portone di casa ho notato che nell'auto gialla Roberto non era solo. Ho visto il sigaro scuro confon-
dersi nel buio e ho subito capito tutto.
«Saresti potuta rimanere almeno per il giorno del tuo
compleanno», mi aveva detto mia madre prima di uscire
e non le avevo dato ascolto, chiudendo piano la porta
d'entrata mentre andavo via senza risponderle.

L'angelo presuntuoso mi ha guardata sorridente e io sono salita in macchina fingendo di non essermi accorta che Pino stava dietro.

«Allora?», ha chiesto Roberto, «non dici niente?», indicandomi con la testa i sedili posteriori.

Mi sono girata e ho visto Pino spaparanzato dietro, con gli occhi rossi e le pupille dilatate. Gli ho sorriso e ho chiesto: «Hai fumato?».

Lui ha fatto cenno di sì con la testa e Roberto ha detto: «Si è anche bevuto un'intera bottiglia di acquavite».

«A posto», ho detto, «è messo proprio bene».

Le luci della città si riflettevano sui finestrini dell'auto, i negozi erano ancora aperti, i proprietari aspettano con ansia il Natale. Sui marciapiedi coppiette e famigliole camminavano inconsapevoli che dentro l'auto c'ero io insieme a due uomini che mi avrebbero portata chissà dove.

Abbiamo attraversato la via Etnea e vedevo il Duomo illuminato dalle luci bianche e circondato dagli imponenti alberi di palma da dattero. Sotto questa strada scorre un fiume, celato dalla pietra lavica. È silenzioso, impercettibile. Così come i miei pensieri silenziosi e miti, nascosti sapientemente sotto la mia corazza. Scorrono. Mi dilaniano.

Di mattina qui vicino c'è la pescheria, si sente l'odore del mare provenire dalle mani dei pescatori che, con le unghie annerite dalle interiora dei pesci, prendono l'acqua dal secchiello e la spruzzano sopra i corpi freddi e scintillanti degli animali ancora vivi e guizzanti. Noi ci stavamo dirigendo proprio lì, anche se di notte l'atmosfera cambia. Scesa dalla macchina mi sono resa conto che l'odore del mare si trasforma in odore di fumo e di hashish, i ragazzi con i piercing si sostituiscono ai vecchi pescatori abbronzati e la vita continua ad essere vita, sempre e comunque.

Sono scesa dall'auto e mi è passata accanto una donna anziana dal cattivo odore, vestita di rosso, con in braccio un gatto anch'esso rosso, magro e cieco da un occhio. Cantava una nenia:

Passiannu 'pa via Etnea
Chi sfarzu di luci,
chi fudda 'ca c'è.
Viru tanti picciotti 'che jeans
si mettunu 'nmostra
davanti 'e cafè
Com'è bella Catania di sira,
sutta i raggi splinnenti di luna
a muntagna ca è russa di focu,
all'innamurati l'arduri ci runa.

Camminava come un fantasma, lentamente, con gli occhi stralunati, e io la osservavo incuriosita mentre aspettavo che loro scendessero dalla macchina. La donna mi ha sfiorato la manica del cappotto e ho sentito un brivido strano; abbiamo incrociato lo sguardo per un istante brevissimo ma è stato così intenso e tutto è stato così eloquente che ne ho avuto paura, paura vera, folle. Il suo sguardo sbieco e vivo, per nulla stupido, diceva: «Là dentro troverai la morte. Non potrai più riprendere il cuore, bambina, morirai, e qualcuno getterà la terra sulla tua tomba. Nemmeno un fiore, nemmeno uno».

Mi è venuta la pelle d'oca, quella strega mi aveva incantata. Ma non le ho dato ascolto, ho sorriso ai due ragazzi che venivano verso di me, belli e pericolosi.

Pino si teneva in piedi a malapena, è rimasto in silenzio per tutto il tempo e nemmeno io e Roberto abbiamo parlato molto come le altre volte.

Roberto ha estratto un grosso mazzo di chiavi dalla tasca dei pantaloni e ne ha infilata una nella serratura. Il portone ha cigolato, ha messo un po' di forza per aprirlo e alla fine si è chiuso rumorosamente alle nostre spalle.

Io non parlavo, non avevo niente da chiedere, sapevo benissimo cosa ci stavamo accingendo a fare. Siamo saliti per le scale consumate dagli anni, le pareti del palazzo sembravano così fragili che in me è nata la paura che all'improvviso qualcuna cedesse e ci ammazzasse; le crepe, tante, e le luci bianche davano un aspetto diafano alle pareti azzurre. Ci siamo fermati a una porta da cui sentivo provenire della musica.

«Ma c'è qualcuno?», ho chiesto.

«No, abbiamo dimenticato la radio accesa prima di uscire», mi ha risposto Roberto.

Pino è andato subito in bagno, lasciando la porta aperta; lo vedevo pisciare, si teneva in mano il membro molliccio e raggrinzito. Roberto è andato nell'altra stanza ad abbassare il volume e io sono rimasta nel corridoio osservando curiosa tutte le camere che da lì potevo sbirciare.

L'angelo presuntuoso è ritornato sorridendo, mi ha baciata in bocca e indicandomi una stanza mi ha detto: «Aspettaci nella cella dei desideri, arriviamo fra poco».

«Eehehehe», ho riso, «cella dei desideri... che strano nome per chiamare una stanza in cui si scopa!».

Sono entrata nella camera, abbastanza stretta. Sulla parete erano attaccate centinaia di foto di modelle nude, ritagli di giornali porno, poster hentai e posizioni del kamasutra. Immancabile, sul soffitto, la bandiera rossa con il volto del Che.

«Ma dove sono finita», ho pensato, «una specie di museo del sesso... di chi sarà mai questa casa?».

Roberto è arrivato con una stoffa nera in mano. Mi ha voltata e mi ha bendata con il fazzoletto, mi ha rigirata verso di lui e ha esclamato ridendo: «Sembri la dea fortuna».

Ho sentito l'interruttore della luce emettere il suo clic e poi non sono più riuscita a vedere niente.

Ho avvertito dei passi e dei sussurri, poi due mani hanno abbassato i jeans, tolto il maglione accollato e il reggiseno. Sono rimasta in perizoma, autoreggenti e stivali con tacco a spillo. Mi vedevo bendata e nuda, vedevo sul mio viso solo le mie labbra rosse che fra poco avrebbero assaggiato qualcosa di loro.

Improvvisamente le mani sono aumentate, diventando quattro. Era facile distinguerle poiché due stavano sopra palpandomi il seno e due sotto, sfiorandomi il sesso attraverso il perizoma e accarezzandomi il sedere. Non riuscivo a sentire l'odore di alcol di Pino, forse in bagno si era lavato i denti. Mentre m'immaginavo sempre più in balìa delle loro mani e cominciavo a eccitarmi, ho sentito, dietro, il contatto con un oggetto ghiacciato, un bicchiere. Le mani continuavano a toccarmi, ma il bicchiere premeva con più forza la pelle. Spaventata ho allora chiesto: «Chi cazzo è?».

Un risolino di sottofondo e poi una voce sconosciuta: «Il tuo barman, tesoro. Non preoccuparti, ti ho solo portato un drink».

Mi ha avvicinato il bicchiere alla bocca e ho sorseggiato piano della crema di whisky. Mi sono leccata le labbra e un'altra bocca mi ha baciata con passione mentre le mani continuavano ad accarezzarmi e il barman mi dava da bere. Un quarto uomo mi stava baciando.

«Che bel culo che hai...», diceva la voce sconosciuta, «morbido, candido, sodo. Posso darti un morso?».

Ho sorriso per la buffa richiesta e ho risposto: «Fallo e

basta, non chiedere. Ma una cosa voglio saperla: quanti siete?».

«Stai tranquilla amore», ha detto un'altra voce alle mie spalle. E ho sentito una lingua leccare le vertebre della mia schiena. Adesso l'immagine che avevo di me era più seducente: bendata, mezza nuda, cinque uomini che mi leccano, mi accarezzano e ardiscono il mio corpo. Io ero al centro dell'attenzione e loro facevano di me quello che dentro la cella dei desideri è permesso fare. Non sentivo una voce, solo sospiri e carezze.

E quando un dito si è intrufolato piano nel mio Segreto ho sentito un caldo improvviso e ho capito che la ragione mi stava abbandonando. Mi sentivo arresa al tocco delle loro mani e in me era viva la curiosità di sapere chi fossero, come fossero. E se il piacere fosse stato frutto del lavoro di un uomo bruttissimo e bavoso? In quel momento non mi è importato. E adesso me ne vergogno, diario, ma so che rimpiangere le cose dopo averle fatte non serve a niente.

«Bene», ha detto finalmente Roberto, «manca l'ultima componente».

«Cosa?», ho domandato.

«Non ti preoccupare. Puoi togliere la benda, adesso faremo un altro gioco».

Ho esitato un attimo per togliere la benda ma poi l'ho sfilata piano dalla testa e ho visto che nella camera io e Roberto eravamo soli.

«Ma dove sono andati?», ho chiesto sorpresa.

«Ci attendono nell'altra stanza».

«Che si chiama...?», ho chiesto divertita.

«Mmm... sala della fumanza. Ci facciamo una canna».

Volevo andarmene con tutte le mie forze e lasciarli lì. Quella pausa mi ha raffreddata e la realtà si è presentata con tutta la sua crudezza. Ma non potevo, ormai avevo iniziato e dovevo a tutti i costi finire. L'ho fatto per loro.

Ho intravisto le sagome risaltare nella stanza buia, rischiarata solo da tre candele poggiate per terra. Da quel poco che potevo notare le forme dei ragazzi presenti nella sala non erano brutte e questo mi ha consolata.

Nella stanza c'era un tavolo rotondo e attorno delle sedie. L'angelo presuntuoso si è seduto.

«Fumi anche tu?», mi ha chiesto Pino.

«No, grazie, non fumo mai».

«Eh no... da stasera fumerai anche tu», ha detto il barman di cui potevo notare il bel fisico tornito e slanciato, la pelle scura e i capelli lunghi fino alle spalle, crespi.

«No, mi spiace deluderti. Quando dico no è no. Non ho mai fumato, non fumerò adesso e non so se fumerò in futuro. Trovo inutile farlo e lo lascio fare perciò a voi».

«Ma almeno non ci toglierai una bella vista», ha detto Roberto battendo la mano sul legno del tavolo, «siediti qui».

Mi sono seduta sul tavolo a gambe divaricate, i tacchi degli stivali inchiodati sul legno e il sesso aperto alla vista di tutti. Roberto ha avvicinato la sedia, ha puntato la candela accesa verso il mio pube per illuminarlo. Rollava la sua cartina rivolgendo lo sguardo prima verso l'erba odorosa e poi verso il mio Segreto. I suoi occhi brillavano.

«Toccati», mi ha ordinato. Allora io ho intrufolato piano un dito nella mia ferita e lui ha lasciato il lavoro di fumanza per concedersi alla vista del mio sesso.

Da dietro è arrivato qualcuno che mi ha baciato le spalle, mi ha presa fra le braccia e mi ha incastrata al suo corpo cercando con la sua asta di entrare dentro di me. Ero inerme. Lo sguardo basso e spento. Vuoto. Non ho voluto guardare.

«Eh no no... ne abbiamo parlato prima... nessuno stasera la penetrerà», ha detto Pino.

Il barman è andato nell'altra stanza e ha ripreso la benda nera che aveva coperto prima i miei occhi. Mi hanno nuovamente bendata e una mano mi ha costretta a inginocchiarmi.

«Adesso, Melissa, ci passeremo la canna», ho sentito la voce di Roberto, «e ogni volta che uno di noi l'avrà in mano schioccheremo le dita e ti toccheremo la testa, così capirai di essere arrivata. Tu ti avvicinerai dove ti diremo noi e glielo prenderai in bocca fino a farlo venire. Cinque volte, Melissa, cinque. D'ora in poi non parleremo più. Buon lavoro».

E nel mio palato si sono scontrati cinque gusti diversi, cinque sapori di cinque uomini. Ogni sapore la sua storia, ogni pozione la mia vergogna. Durante quei momenti ho avuto la sensazione e l'illusione che il piacere non fosse solo carnale, che fosse bellezza, gioia, libertà. E stando nuda in mezzo a loro ho sentito l'appartenenza a un altro mondo, sconosciuto. Ma poi, uscita da quella porta, mi sono sentita il cuore a pezzi e ho provato una vergogna indicibile.

Dopo mi sono abbandonata sul letto e ho sentito il mio corpo intorpidirsi. Sulla scrivania della stanza stretta vedevo il display del mio cellulare lampeggiare e sapevo che mi stavano chiamando da casa, erano già le due e mezzo del mattino. Ma intanto qualcuno è entrato, si è sdraiato sopra di me e mi ha scopata; un altro l'ha seguito e ha puntato il suo pene verso la mia bocca. E quando uno aveva finito, l'altro scaricava addosso a me il suo liquido biancastro. E anche gli altri. Sospiri, lamenti e grugniti. E lacrime silenziose.

Sono ritornata a casa piena di sperma, il trucco sbavato e mia madre che mi aspettava dormendo sul divano.

«Sono qui», le ho detto, «sono tornata».

Lei era troppo assonnata per rimproverami per l'orario, così ha accennato con la testa ed è andata verso la camera da letto.

Sono entrata in bagno, mi sono guardata allo specchio e non ho visto più l'immagine di chi si osservava incantata qualche anno fa. Ho visto gli occhi tristi, resi ancora più pietosi dalla matita nera che colava sulle guance. Ho visto una bocca che è stata più volte violata questa sera e ha perso la sua freschezza. Mi sentivo invasa, sporcata da corpuncoli estranei.

Poi mi sono data cento colpi di spazzola, come facevano le principesse, dice sempre mia madre, con la vagina che ancora adesso, mentre ti scrivo nel cuore della notte, odora di sessi.

4 dicembre 2001
12,45

«Divertita ieri?», mi ha chiesto stamattina mia madre coprendo con uno sbadiglio il fischio della caffettiera.

Ho scosso le spalle e ho risposto che ho trascorso una serata come le altre.

«I tuoi vestiti facevano uno strano odore», ha detto con i soliti occhi di chi vuole sapere e capire tutto degli altri, a maggior ragione se si tratta di me.

Spaventata mi sono girata di scatto mordendomi le labbra, ho pensato che magari aveva sentito l'odore dello sperma.

«Di che cosa?», ho chiesto fingendomi calma, osservando sbadatamente il sole oltre la finestra della cucina.

«Di fumo... che ne so... marijuana», ha detto con il volto disgustato.

Rincuorata, mi sono girata, ho sorriso lievemente e ho esclamato: «Be'... sai, nel locale di ieri c'era gente che fumava. Non potevo mica chiedere di spegnere».

Mi ha guardata con occhi torvi e ha detto: «Tornami a casa fumata e non esci più nemmeno per andare a scuola!».

«Mmm, bene», ho scherzato, «vedrò di trovarmi qualche pusher di fiducia. Grazie, mi hai dato un ottimo alibi per non frequentare quelle cazzo di lezioni».

...Come se quello che facesse male fosse solo l'hashish. Ne fumerei grammi e grammi pur di non provare questa strana sensazione di vuoto, di nulla. È come se fossi sospesa per aria, e sto ammirando dall'alto quello che ho fatto ieri. No, non ero io quella. Era quella che non si ama a lasciarsi sfiorare da mani avide e sconosciute; era quella che non si ama a ricevere lo sperma da cinque persone diverse e ad essere contaminata nell'anima, dove ancora il dolore non esisteva.

Quella che si ama sono io, sono quella che stanotte ha reso i suoi capelli nuovamente lucenti dopo averli spazzolati con cura cento volte, quella che ha ritrovato la morbidezza fanciulla delle labbra. E che si è baciata, condividendo con se stessa l'amore che ieri le è stato negato.

20 dicembre 2001

Tempo di regali e di falsi sorrisi, di monetine gettate, con una momentanea dose di buona coscienza, fra le mani degli zingari con i bambini in braccio ai margini delle strade.

A me non piace comprare regali per gli altri, li compro sempre e solo a me stessa, forse perché non ho nessuno a cui farne. Questo pomeriggio sono uscita con Ernesto, un tipo che ho conosciuto in chat. Mi era sembrato subito simpatico, avevamo scambiato i numeri e abbiamo cominciato a vederci come buoni amici. Anche se lui è un po' distante, preso dall'università e dalle sue misteriose amicizie.

Usciamo spesso per fare compere e non mi vergogno quando con lui entro in qualche negozio di biancheria intima, anzi molte volte anche lui l'acquista.

«Per la mia nuova ragazza», dice sempre. Ma non me ne ha mai presentata una.

Con le commesse sembra avere una buona confidenza, si danno del tu e ridacchiano spesso. Io rovisto fra gli appendini cercando gli indumenti che dovrò indossare per colui che riuscirà ad amarmi. Li tengo ben ripiegati dentro il primo cassetto del comò, intatti.

Nel secondo cassetto tengo gli indumenti intimi che indosso durante gli incontri con Roberto e i suoi amici. Autoreggenti consumate dalle loro unghie e mutande in pizzo un po' slabbrato con piccoli fili di cotone che pendono perché tirati troppo da mani bramose. Loro non ci fanno caso, a loro basta che io sia maiala.

All'inizio compravo sempre biancheria intima in pizzo bianco, stando attenta a coordinarla bene.

«Il nero ti starebbe meglio», mi ha detto una volta Ernesto, «si abbina meglio ai colori del tuo viso e della tua pelle».

Ho seguito il suo consiglio, e da allora compro solo il pizzo nero.

Guardo lui interessato ai tanga colorati, degni di una ballerina brasiliana: rosa shocking, verde, blu elettrico, e quando vuole mantenersi sul serioso sceglie il rosso.

«Certo che sono proprio strane le tue tipe», gli dico.

Lui ridacchia e dice: «Mai quanto te», e il mio ego si ritrova nuovamente pompato.

I reggiseni sono quasi tutti imbottiti, non li coordina mai agli slip, preferisce accostare colori troppo inverosimili fra loro.

Poi le calze: le mie quasi sempre autoreggenti velate con la balza in pizzo, rigorosamente nere, che si scontrano nettamente con il biancore invernale della mia pelle. Quelle che compra lui sono a rete, troppo poco vicine ai miei gusti.

Quando una ragazza gli piace più delle altre, Ernesto si tuffa fra la folla di un grande magazzino e compra per lei abiti luccicanti arricchiti da paillettes multicolori, con scolli vertiginosi e spacchi audaci.

«Quanto prende a ora la ragazza?», scherzo io.

Lui diventa serio e senza rispondere va a pagare. Io allora mi sento in colpa e smetto di fare la stupidotta.

Oggi, mentre passeggiavamo tra i negozi illuminati e le commesse acide e giovani, la pioggia ci ha sorpresi bagnando i nostri pacchetti di cartone spesso che tenevamo in mano.

«Andiamo sotto un portico!», ha detto forte mentre mi afferrava la mano.

«Ernesto!», ho detto a metà strada fra l'insofferente e il divertito. «In via Etnea non ci sono portici!».

Mi ha guardata interdetto, ha alzato le spalle e ha esclamato: «Andiamo a casa mia allora!». Non volevo andarci, ho scoperto che uno dei suoi coinquilini è Maurizio, un amico di Roberto. Non mi andava di vederlo, né tantomeno che Ernesto scoprisse queste mie attività segrete.

Dal punto in cui eravamo, casa sua distava poche centinaia di metri che abbiamo percorso a passo veloce mano nella mano. È stato bello correre con qualcuno senza dover pensare che dopo avrei dovuto distendermi su un letto e lasciarmi andare senza freni. Mi piacerebbe, per una volta, essere io quella che decide: quando e dove farlo, per quanto tempo, con quanto desiderio.

«C'è qualcuno in casa?», gli ho sussurrato salendo le scale, mentre la mia eco rimbombava.

«No», ha risposto lui con il fiatone, «sono tutti andati a casa per le vacanze. È rimasto solo Gianmaria, ma in questo momento è fuori anche lui». Contenta, l'ho seguito, fissandomi di sfuggita allo specchio alla parete.

Casa sua è semivuota e la presenza di quattro uomini è visibile: c'è un cattivo odore (sì, quell'opprimente odore di sperma) e il disordine tende a riempire le stanze.

Abbiamo scaraventato le buste per terra e ci siamo tolti i cappotti inzuppati.

«Vuoi qualche mia magliettina? Il tempo che i tuoi vestiti si asciughino».

«Va bene, grazie», ho risposto.

Arrivati nella sua camera-biblioteca, ha aperto l'armadio con un certo timore e, prima che fosse completamente schiuso, mi ha chiesto di andare di là a prendere i pacchetti.

Ritornata ha richiuso in fretta l'armadio e io divertita e bagnata ho esclamato: «Che ci tieni? Le tue donne morte?».

Ha sorriso e ha risposto: «Più o meno».

Mi ha incuriosita il modo in cui mi ha risposto e per evitare che gli facessi altre domande ha detto strappandomi le buste dalle mani: «Fammi vedere, su! Cos'hai comprato piccolina?».

Ha aperto con entrambe le mani il cartone bagnato e ci ha ficcato la testa come un bambino che riceve il suo regalo di Natale. I suoi occhi brillavano e con la punta delle dita ha estratto un paio di culottes nere.

«Oh-oh. E che ci fai con queste, eh? Per chi le indossi? Non credo che le usi per andare a scuola...».

«Abbiamo dei segreti, noi», ho detto ironica, conscia di insospettirlo.

Lui mi ha guardata stupito, ha inclinato un po' la testa a sinistra e ha detto piano: «Tu dici...? ...E sentiamo, che segreto avresti?».

Sono stanca di tenermelo dentro, diario. Gliel'ho detto. Il suo viso non ha cambiato espressione, è rimasto con lo stesso sguardo incantato di prima.

«Ma non dici niente?», ho chiesto infastidita.

«Sono scelte tue, piccola. Posso solo dirti di andarci piano».

«Troppo tardi», ho detto con un tono di finta rassegnazione.

Cercando di bloccare l'imbarazzo ho riso forte e poi ho detto con voce allegra: «Be', carino, adesso è il turno del tuo segreto».

Il suo biancore è divampato, gli occhi si muovevano in fretta per tutta la stanza, incerti.

Si è alzato dal divano letto a fiori sbiaditi e a grandi passi si è diretto verso l'armadio. Ha aperto un'anta con un gesto violento, ha indicato con un dito gli indumenti appesi e ha detto: «Questi sono miei».

Riconoscevo quegli abiti, li avevamo comprati insieme e stavano appesi lì senza etichetta e visibilmente usati e spiegazzati.

«Che vuol dire, Ernesto?», ho chiesto piano.

I suoi movimenti si sono rallentati, i muscoli si sono rilassati e gli occhi guardavano a terra.

«Questi vestiti li compro per me. L'indosso e... ci lavoro». Anche io l'ho privato di qualsiasi commento, in realtà non pensavo a niente. Poi un attimo dopo, nella mia testa, tutte le domande: ci lavori? come ci lavori? dove lavori? perché?

Ha cominciato lui, senza che io gli abbia chiesto qualcosa.

«Mi piace travestirmi da donna. Ho iniziato qualche anno fa. Mi chiudo nella mia camera, punto una telecamera sopra il tavolo e mi travesto. Mi piace, mi sento bene. Dopo mi osservo sullo schermo e... be'... mi eccito... E qualche volta mi lascio vedere in cam da qualcuno che me lo chiede», un rossore spontaneo e potente lo stava inghiottendo.

Silenzio ovunque, solo il rumore della pioggia che pioveva giù dal cielo, formando sottili fili metallici, che ci ingabbiavano.

«...Ti prostituisci?», ho chiesto senza mezzi termini.

Ha annuito, coprendosi subito il volto con entrambe le mani.

«...Meli, credimi, faccio solo servizi di bocca, niente di più. Qualcuno mi chiede anche di... qualche rotto in culo, insomma, ma giuro, non lo faccio mai... È per pagarmi gli studi, lo sai che i miei genitori non possono permettersi...», avrebbe voluto continuare, ripescare qualche altra giustificazione. Tanto lo so che a lui piace.

«Non ti biasimo Ernesto», ho detto dopo un po' osservando attenta la finestra su cui brillavano nervose le goccioline.

«Vedi... ognuno sceglie la propria vita, l'hai detto tu stesso qualche minuto fa. A volte anche le strade sbagliate possono essere giuste, o viceversa. L'importante è seguire noi stessi e i nostri sogni, perché solo se riusciremo a fare questo potremo dire di avere scelto bene per noi. A questo punto voglio sapere perché lo fai... davvero». Sono stata ipocrita, lo so.

Mi ha allora guardata con occhi teneri e pieni di domande; poi ha chiesto: «E tu perché lo fai?».

Non ho risposto, ma il mio silenzio ha detto tutto. E la mia coscienza urlava tanto che per tenerla a bada ho detto molto spontaneamente, senza vergognarmi: «Perché non ti travesti per me?».

«E adesso perché mi chiedi questo?».

Non lo sapevo nemmeno io.

Con un po' d'imbarazzo ho detto piano: «Perché è bello vedere due identità in un corpo: uomo e donna nella stessa pelle. Un altro segreto: la cosa mi eccita. E anche tanto. E poi, scusa... è una cosa che piace a tutti e due, nessuno ci sta costringendo a farlo. Un piacere non può essere mai un errore, no?».

Vedevo il suo coso eccitato sotto i pantaloni e che tuttavia cercava di nascondersi.

«Lo faccio», ha detto secco. Dall'armadio ha preso un vestito e una maglietta che mi ha lanciato.

«Scusami, avevo dimenticato di prenderla. Mettila».

«Ma dovrò spogliarmi», ho detto io.

«Ti vergogni?».

«No no, figurati», ho risposto.

Mi sono spogliata mentre la sua eccitazione cresceva per la mia nudità. Mi sono infilata nella grande maglietta rosa su cui c'era scritto: Bye bye Baby, e un occhio ammiccante di Marilyn osservava la vestizione del mio amico, come una specie di rito sublime ed estatico. Si era vestito di spalle, ero solo riuscita a vedere i suoi movimenti e la linea del perizoma che divideva le sue natiche squadrate. Si è girato: minigonna nera corta, autoreggenti a rete, stivali molto alti, top dorato e reggiseno imbottito. Ecco come mi si presentava un amico che ho sempre visto in Lacoste e Levi's. La mia eccitazione non era visibile, ma c'era.

Dal perizoma striminzito il suo coso sbucava fuori senza problemi. L'ha spostato e si è sfregato l'affare.

Come in uno spettacolo, mi sono sdraiata sul divanoletto e l'ho guardato attenta. Avevo voglia di toccarmi, persino di possedere quel corpo. Mi ha stupita la mia freddezza, quasi maschile, con cui lo osservavo mentre si masturbava. Il suo volto era sconvolto e imperlato da piccole gocce di sudore, mentre il mio piacere arrivava senza penetrazione, senza carezze, solo dalla mente, da me.

Il suo invece è arrivato forte e sicuro, l'ho visto schizzare fuori e ho sentito il suo rantolo che si è bloccato quando ha aperto gli occhi.

Si è disteso con me sul divano, ci siamo abbracciati e ci siamo addormentati con Marilyn che sfregava il suo occhio contro la perlina dorata del top di Ernesto.

3 gennaio 2002
2,30 del mattino

Di nuovo nella casa-museo, con le stesse persone. Questa volta giocavamo che io ero la terra e loro i vermi che scavavano. Cinque vermi diversi hanno scavato solchi sul mio corpo, e il terreno, al ritorno a casa, era franoso e friabile. Una vecchia sottana ingiallita, di mia nonna, era stata appesa nel mio armadio. L'ho indossata, ho sentito il profumo dell'ammorbidente e di un tempo che non c'è più che si mescolavano con l'assurdo presente. Ho sciolto i capelli sopra le spalle protette da quel confortante passato. Li ho sciolti, li ho annusati e sono andata a letto con un sorriso che presto si è trasformato in pianto. Mite.

9 gennaio 2002

A casa di Ernesto i segreti non sono stati troppi. Gli ho confidato che quello che era successo aveva fatto nascere in me il desiderio di vedere due uomini uno dentro l'altro. Voglio vedere scopare due uomini, sì. Vederli che si scopano così come finora hanno scopato me, con la stessa violenza, con la stessa brutalità.

Non riesco a fermarmi, corro veloce come un bastoncino che si lascia trasportare dalle correnti di un fiume. Imparo a dire di no agli altri e sì a me stessa e lasciare che la parte più profonda di me venga fuori sbattendosene del mondo circostante. Imparo.

«Sei una continua scoperta, Melissa. Come dire... una miniera di fantasie e immaginazione», ha detto con la voce roca del sonno da cui era appena uscito.

«Giuro, Ernesto. Sarei persino disposta a pagare», ho detto ancora abbracciata a lui.

«Allora?», ho chiesto spazientita dopo un po' di silenzio.

«Allora cosa?».

«Tu che sei, be'... del campo... non conosci nessuno disposto a farsi guardare?».

«Ma dai, che combini! Non puoi stare buona buonina a farti le tue storie normali?».

«A parte che stare buona buonina non mi si addice proprio», ho detto, «e poi cosa intendi come storie normali?».

«Storie da sedicenne, Meli. Tu ragazza, lui ragazzo. Amore e sesso bilanciati, quanto basta».

«Be', secondo me è quella la vera perversione!», ho detto isterica, «insomma... vita piatta: sabati sera in Piazza Teatro Massimo, domeniche mattina colazione in riva al mare, sesso rigorosamente nei fine settimana, confidenze con i genitori eccetera eccetera... meglio rimanere sola!».

Ancora silenzio.

«E poi io sono fatta così, non voglio cambiare per nessuno. Ma vedi però, senti chi parla!», gli ho urlato scherzosamente in faccia.

Ha riso e mi ha accarezzato la testa.

«Piccola, io ti voglio bene, non vorrei mai che ti succedesse qualcosa di spiacevole».

«Mi succederà se non farò quello che voglio. E anche io ti voglio bene».

Mi ha parlato di due ragazzi, studenti all'ultimo anno di giurisprudenza. Li conoscerò domani, dopo la scuola mi verranno a prendere a Villa Bellini, davanti alla fontana dove nuotano i cigni. Chiamerò mia madre per dirle che rimarrò tutto il pomeriggio fuori per il corso di teatro.

10 gennaio 2002
15,45

«Certo che voi donne siete idiote! Guardare due uomini scopare... mah!», ha detto Germano, alla guida. I suoi occhi erano grandissimi e neri; il viso massiccio e ben scolpito sormontato da bellissimi riccioli neri che facevano di lui, se non fosse stato per la carnagione chiara, un giovane africano potente e superbo. Stava alla guida dell'auto seduto come il Re della foresta, alto e maestoso, le lunghe e affusolate dita poggiate sul volante, un anello d'acciaio con dei segni tribali si distaccava dal biancore della mano e dalla sua straordinaria morbidezza.

Con la vocina sottile e gentile l'altro ragazzo, dalle labbra sottili, rispondeva da dietro per me: «Lasciala stare, non vedi che è nuova? È anche così piccola... guarda che bel visino che ha, così tenero. Sicura, piccola, di volerlo fare?».

Ho annuito con la testa.

Da quanto ho capito, i due hanno accettato questo incontro perché dovevano un favore a Ernesto, anche se non ho capito di che cosa lo ripagavano. Fatto sta che Germano era irritato da questa situazione e se avesse potuto mi avrebbe lasciata sul ciglio della strada deserta che stavamo percorrendo. Eppure un entusiasmo sconosciuto gli brillava negli occhi, era una sensazione sottile che sentivo arrivare a intermittenza. Durante il viaggio il silenzio ci faceva compagnia. Stavamo percorrendo delle strade di campagna, dovevamo raggiungere la villa di Gianmaria, l'unico posto in cui nessuno ci avrebbe disturbati. Era una vecchia tenuta costruita in pietra circondata da alberi di ulivi e abeti; più lontano si vedevano le distese di viti, morte in questa stagione. Il vento soffiava forte e quando Gianmaria è sceso per aprire l'enorme portone in ferro, decine di foglie sono entrate nella macchina cadendo sui miei capelli. Il freddo era pungente, l'odore tipico della terra bagnata e delle foglie lasciate a marcire sotto l'acqua per tanto tempo. Tenevo la borsetta in mano e stavo dritta sui miei stivali alti, stretta a me stessa per il gelo; sentivo la punta del naso ghiacciata e le gote immobili, anestetizzate. Siamo giunti alla porta principale su cui sono intagliati i nomi che i vari bambini avevano impresso sul legno nei loro giochi estivi, un segno del proprio passaggio nel tempo. C'erano anche quelli di Germano e Gianmaria... devo scappare, diario, mia madre ha spalancato la porta e mi ha detto che devo accompagnarla da mia zia (si è rotta un'anca, è all'ospedale).

11 gennaio 2002

Un sogno che ho fatto stanotte.

Scendo dall'aereo, il cielo di Milano mi mostra un volto corrucciato e ostile. Il vento gelido e appiccicoso mi scompiglia e appesantisce i capelli freschi di parrucchiere; con la luce grigiastra il mio volto assume un colorito spento e i miei occhi sembrano vuoti, cerchiati da sottili sfere fosforescenti che mi donano un'aria ancora più strana.

Le mie mani sono fredde e bianche, da morta. Arrivo all'interno dell'aeroporto e mi specchio su un vetro: noto il mio viso magro e scolorito, i miei capelli lunghissimi arruffati e ormai orrendi, le mie labbra sono serrate, chiuse ermeticamente. Percepisco una strana eccitazione, immotivata.

Poi mi rivedo così proprio come lo specchio mi raffigura, ma altrove. Invece di essere in quest'aeroporto, vestita dei miei soliti abiti firmati, sono stranamente in una buia e puzzolente cella alla quale arriva pochissima luce, cosicché non sono neanche in grado di vedere quali siano le mie vesti, quali le mie condizioni. Piango, sono sola. Fuori deve essere notte. In fondo al corridoio intravedo una luce traballante, dal colore intenso però. Nessun rumore. La luce nel corridoio si avvicina. È sempre più vicina e mi spaventa, perché non odo nessun passo. L'uomo che arriva si muove con grande cautela, è alto, possente.

Appoggia entrambe le mani alle sbarre e io, asciugandomi il viso, mi alzo e gli vado incontro; la luce della torcia illumina il suo volto donandogli un'aria diabolica, mentre il resto del corpo mi rimane sconosciuto. Vedo i suoi occhi enormi, e famelici, di un colore indefinibile e due labbra grandi, semiaperte, che lasciano intravedere una fila di denti bianchissimi. Si porta un dito alla bocca facendomi capire di non parlare. Rimango a osservare il suo volto da molto vicino e mi accorgo che è affascinante, misterioso e bellissimo. Ho una scossa tremenda quando poggia le sue dita perfette sulle mie labbra, compiendo un movimento rotatorio. Lo fa dolcemente, le mie labbra sono ormai umide e io, con un gesto quasi spontaneo, mi avvicino ancora di più alle sbarre premendo il mio viso contro di esse. Adesso i suoi occhi s'illuminano ma la sua calma è perfetta e senza tempo: le sue dita entrano in profondità nella mia bocca e la mia saliva le fa scivolare meglio.

Poi le tira fuori e aiutandosi con l'altra mano strappa le mie vesti logore nella parte superiore, lasciando scoperti i seni rotondi. I capezzoli sono duri e irti per il freddo che entra dalla finestrella e al tocco delle sue dita bagnate lo divengono ancora di più. Poggia le sue labbra sui seni, annusandoli dapprima, poi baciandoli. Piego la testa all'indietro per il piacere, ma il mio busto rimane fermo, si concede solo alle sue richieste. Si ferma, mi guarda e sorride. Con una mano fruga fra i suoi vestiti, che avvicinandomi ho compreso essere di un uomo di chiesa.

Vi è un tintinnio di chiavi e il rumore di una porta ferrata che piano si chiude. Lui è dentro. Con me. Continua ancora a strappare le mie vesti lungo tutto il corpo e lascia scoperto il ventre e poi più giù, dove è il mio punto più caldo. Lentamente mi fa sdraiare per terra. Affonda la sua testa e la sua lingua entra fra le mie gambe. Mentre io non ho più freddo, ho voglia di sentirmi, di percepirmi attraverso lui. Lo tiro verso di me e sento i miei umori su di lui. Palpo sotto la tunica e sento il suo membro eretto e bellissimo sotto la mia mano che fruga sempre più affannosamente... Il suo pene sotto la tunica vuole uscire e io lo aiuto alzando il manto nero.

Entra dentro di me, i nostri liquidi si incontrano e scivola stupendamente come il coltello nel burro caldo, ma non mi colpisce. Sfila il suo membro e si siede a un angolo. Io lo lascio attendere e mi avvicino a lui solo dopo. Lo immerge di nuovo nella mia spiaggia spumeggiante. Bastano pochi colpi, duri, secchi e improvvisi a portarmi a un piacere infinito. Siamo all'unisono. Si ricompone e mi abbandona ancora più piangente di quanto non lo fossi prima.

Poi apro gli occhi e sono di nuovo all'aeroporto, osservo il mio volto.

Un sogno dentro un sogno. Un sogno che è l'eco di ciò che è successo ieri. I suoi occhi erano gli stessi di Germano. Il fuoco del camino li illuminava, li faceva brillare. Gianmaria era entrato con due grossi ciocchi e un paio di rami. Li ha disposti nel camino che ha cominciato a rischiarare l'ambiente rendendolo più accogliente. Un calore ignoto e confortante m'invadeva. Ciò che stavo osservando non provocava in me nessuna sensazione orribile e vergognosa, anzi. Era come se i miei occhi fossero abituati a certe scene, e la passione che in tutto questo tempo ha battuto contro la mia pelle è volata fuori e ha colpito il volto dei due giovani che involontariamente erano nelle mie mani. Li vedevo incastrarsi l'uno nell'altro: io nella poltrona accanto al camino; loro nel divano di fronte che si guardavano e si toccavano con gli spiriti d'amore. Ogni loro gemito era un «ti amo» verso l'altro e ogni colpo che sentivo nelle mie viscere devastante e doloroso, per loro era una candida carezza. Volevo far parte anche io di quell'intimità incompresa, del loro rifugio amoroso e tenero, ma non mi sono proposta, ho solo guardato come nei patti. Ero nuda e candida nel corpo e nei pensieri. Poi Germano mi ha lanciato uno sguardo beato. Si è staccato dall'incastro e con mio stupore si è inginocchiato davanti a me e ha aperto piano piano le mie cosce. Ha aspettato un mio cenno per tuffarsi in quell'universo. C'è riuscito per un po', poi è ritornato ad essere se stesso, duro e implacabile Re africano. Ha preso il mio posto e tirandomi per i capelli mi ha indirizzata verso il suo membro, ed è stato quello il momento in cui ho notato i suoi occhi. È stato quello il momento in cui ho capito che la sua passione non era diversa dalla mia: si tenevano entrambe per mano e si sono scontrate e poi fuse.

Poi loro due si sono addormentati abbracciati sul divano, mentre io ho continuato a osservarli con la pelle incandescente per le fiamme rosse del camino, sola.

24 gennaio 2002

L'inverno mi appesantisce, in tutti i sensi. Le giornate sono così uguali e così monotone da non riuscire più a sopportarle. Sveglia prestissimo, scuola, litigi con i professori, tornare a casa, fare i compiti fino a un orario incredibilmente tardo, guardare qualche scemenza alla TV, quando gli occhi reggono ancora leggere qualche libro e poi a dormire. Giorno per giorno va avanti così, salvo qualche telefonata improvvisa dell'angelo presuntuoso e dei suoi diavoli; in quel caso mi vesto come meglio posso, mi tolgo gli abiti da diligente studentessa e indosso quelli della donna che fa impazzire gli uomini. Li ringrazio perché mi danno la possibilità di staccarmi dal grigiore ed essere qualcosa di diverso.

Quando sto a casa mi collego a internet. Cerco, esploro. Cerco tutto ciò che mi eccita e mi fa stare male nello stesso tempo. Cerco l'eccitazione che nasce dall'umiliazione. Cerco l'annichilimento. Cerco gli individui più bizzarri, quelli che mi inviano foto sadomaso, quelli che mi trattano da vera puttana. Quelli che vogliono scaricare. Rabbia, sperma, angosce, paure. Io non sono diversa da loro. I miei occhi assumono una luce malata, il mio cuore batte all'impazzata. Credo (o forse mi illudo?) di trovare nei meandri della rete qualcuno disposto ad amarmi. Chiunque questi sia: uomo, donna, vecchio, ragazzo, sposati, single, gay, transessuali. Tutti.

Ieri notte ho acceso alla stanza lesbo. Provare con una donna. Non mi fa completamente schifo l'idea. Più che altro mi imbarazza, mi fa paura. Alcune mi hanno contattata ma le ho scartate fin da subito, senza aver visto nemmeno le foto.

Stamattina ho trovato un'e-mail al mio indirizzo di posta: è una ragazza, una di vent'anni. Dice di chiamarsi Letizia, è di Catania anche lei. Il messaggio dice ben poco, solo il suo nome, la sua età e il suo telefono.

1 febbraio 2002
19,30

A scuola mi hanno offerto un ruolo per lo spettacolo teatrale.

Finalmente occuperò le mie giornate a fare qualcosa di divertente. Dovrà andare in scena tra circa un mese, in un teatro del centro.

5 febbraio 2002
22,00

L'ho chiamata, ha una voce un po' stridula. Ha un tono allegro e disinvolto, al contrario del mio, malinconico, greve. Dopo un po' mi sono sciolta, ho sorriso. Non avevo nessuna voglia di sapere di lei e della sua vita. Ero solo curiosa di conoscerla fisicamente. Infatti le ho chiesto: «Scusami Letizia... Non hai per caso una foto da mandarmi?».

Lei ha riso rumorosamente e ha esclamato: «Certo! Accendi il PC, te la invio all'istante mentre siamo al telefono, così mi dici».

«OK!», ho detto soddisfatta.

Bella, incredibilmente bella. E nuda. Ammiccante, sensuale, accattivante.

Ho balbettato: «Sei davvero tu?».

«Ma certo! Non ci credi?».

«Sì, sì, certo che ci credo... Sei... bellissima...», ho detto stupita (e instupidita!) dalla foto e dal mio trasporto. Non mi piacciono le donne, insomma... Non mi volto per strada quando passa una bella donna, non ardisco le forme femminili e non ho mai pensato seriamente a un rapporto di coppia con una donna. Però Letizia ha un viso angelico e belle labbra carnose. Sotto il ventre ho visto un dolce isolotto su cui potere approdare, ricco e frastagliato, odoroso e sensuale. E i seni, come due dolci colline in cima alle quali vi sono due cerchi rosa e grandi.

«E tu?», mi ha chiesto, «tu hai una foto da mandarmi?».

«Sì», le ho detto, «aspetta un attimo».

Ne ho scelta una a caso, scovata nella memoria del mio computer.

«Sembri un angelo», ha detto Letizia, «sei deliziosa».

«Già, sembro un angelo... Ma non lo sono, davvero», ho detto un po' ammiccante.

«Melissa, io voglio incontrarti».

«Spero anch'io», ho risposto.

Dopo abbiamo chiuso la comunicazione e lei mi ha inviato un SMS con scritto «Ti percorrerei il collo con baci ardenti, mentre con una mano ti esplorerei».

Ho scostato le mutandine, mi sono infilata sotto le coperte e ho posto fine alla dolce tortura che Letizia aveva inconsapevolmente avviato.

7 febbraio 2002

Oggi a casa di Ernesto ho rivisto Gianmaria. Era tutto contento, mi ha abbracciata fortissimo. Mi ha detto che grazie a me fra lui e Germano le cose sono cambiate. Non mi ha detto in cosa e io non l'ho chiesto. Tuttavia mi rimane oscuro il motivo che ha spinto Germano a comportarsi così quella sera, è evidente che la causa sono stata io. Ma di cosa? Perché? Io sono solo stata me stessa, diario.

Ancora ricerche, non finiranno mai se prima non avrò trovato quello che voglio. Ma in realtà non so cosa voglio. Cerca, continua a cercare, Melissa, sempre.

Sono entrata in una chat, nella stanza "Sesso perverso" con il nick "whore". Ho cercato fra le varie preferenze del profilo, ho inserito alcuni dati che mi interessavano. Lui mi ha subito contattata, "the_carnage"; è stato diretto, esplicito, invadente e io lo volevo esattamente così.

«Come ti piace essere scopata?», mi ha scritto esordendo.

E io ho risposto: «Con brutalità, voglio essere trattata come un oggetto».

«E vuoi che io ti tratti come un oggetto?».

«Non voglio niente. Fai quello che devi fare».

«Sei la mia puttana, lo sai?».

«Difficile per me essere di qualcuno, non sono neanche di me stessa».

Ha cominciato a spiegarmi come e dove mi avrebbe messo il cazzo, quanto tempo l'avrei avuto dentro e come avrei goduto.

Osservavo scorrere le parole che venivano inviate, sempre più veloci. Il mio stomaco si contorceva e dentro mi pulsavano una vita e un desiderio così seducenti da non poter fare altro che cedere. Quelle parole erano il canto delle sirene e io mi sono esposta consapevole eppure dolorosamente.

Solo dopo avermi riferito che si era venuto in mano mi ha chiesto quanti anni avessi.

«Sedici», gli ho scritto.

Ha digitato degli smile di stupore lungo tutta la finestra seguiti da uno smile sorridente. Poi: «Ammazza! Complimenti!».

«Per cosa?».

«Sei già così esperta...».

«Sì».

«Non ci credo».

«Cosa vuoi che ti dica... Tanto che importanza ha saperlo, noi non ci vedremo mai. Non sei nemmeno di Catania».

«Come no?! Sì, sono di Catania».

Cazzo...! Anche la sfiga di essere stata contattata da un catanese!

«E adesso che vuoi da me?», gli ho chiesto sicura della risposta.

«Scoparti».

«L'hai appena fatto».

«No», altro smile, «realmente».

Ci ho pensato qualche secondo poi ho digitato il numero del mio telefonino, al momento di inviarlo ho avuto un attimo di esitazione. Poi il suo «Grazie!» mi ha fatta rendere conto della cazzata appena fatta.

Non so niente di lui, solo che si chiama Fabrizio e ha trentacinque anni.

L'appuntamento è fra mezz'ora in Corso Italia.

21,00

So benissimo che talvolta il diavolo si presenta sotto false spoglie e manifesta la sua identità solo dopo averti conquistata. Prima ti guarda con occhi verdi e luccicanti, poi ti sorride bonariamente, ti dà un bacio lieve sul collo e dopo t'inghiotte.

L'uomo che mi si è presentato davanti era elegante e non proprio bello; alto, robusto, capelli brizzolati e radi (chissà se avrà davvero trentacinque anni), occhi verdi e denti grigi.

Al primo impatto ne sono rimasta affascinata ma subito dopo il pensiero che lui fosse lo stesso uomo della chat mi ha fatto sussultare. Abbiamo percorso i marciapiedi puliti da cui si affacciano i negozi chic dalle vetrine luccicanti; mi ha parlato di sé, del suo lavoro, della moglie che non ha mai amato ma che ha sposato perché costretto dalla nascita della bambina. Ha una bella voce, ma una risata stupida che m'infastidisce.

Mentre camminavamo mi ha cinto il busto con un braccio e io ho sorriso di circostanza, infastidita dalla sua invadenza e inquietata da ciò che sarebbe successo dopo.

Potevo benissimo andarmene, riprendere il mio scooter e ritornare a casa, guardare mia madre impastare la farina per la torta di mele, sentire mia sorella leggere ad alta voce, giocare con il gatto... Posso benissimo gustare la normalità e vivere bene dentro di essa, avere gli occhi luminosi solo perché ho preso un buon voto a scuola, sorridere timidamente perché mi viene rivolto un complimento; ma nulla mi stupisce, tutto è vuoto e scavato, vano, privo di consistenza e sapore.

L'ho seguito fino alla sua auto che ci ha portato dritti a un garage. Il soffitto era umido e scatoloni e utensili ingombravano lo spazio già di per sé molto piccolo.

Fabrizio mi è entrato dentro piano, lievemente si è buttato su di me e fortunatamente non ho sentito il peso del suo corpo addosso. Avrebbe voluto baciarmi, ma io ho voltato la testa perché non volevo. Nessuno mi bacia dai tempi di Daniele, il calore dei miei sospiri lo riservo alla mia immagine riflessa e la morbidezza delle mie labbra è stata fin troppe volte a contatto con i membri assetati dei diavoli dell'angelo presuntuoso eppure loro, sono sicura, non l'hanno gustata. Così ho mosso la testa per evitare il contatto con le sue labbra ma non gli ho lasciato intendere il mio ribrezzo. Ho fatto finta di voler cambiare posizione, lui come un animale ha tramutato la dolcezza che prima mi aveva stupita in cruda bestialità, grugnendo e chiamandomi ad alta voce, mentre le sue dita premevano la pelle dei miei fianchi.

«Sono qui», gli dicevo, e la situazione mi sembrava grottesca. Non capivo il perché stesse pronunciando il mio nome, ma rimanere impassibile ai suoi richiami mi sembrava imbarazzante, così lo rassicuravo dicendo: «Sono qui», e lui si calmava un poco.

«Fammi venire dentro, dai ti prego, fammi venire dentro», diceva sconvolto dal piacere.

«No, non puoi».

È uscito di colpo, pronunciando più forte il mio nome finché non è diventato un'eco sempre più fioca, un lungo sospiro finale. Poi, non contento, è tornato su di me, si è abbassato: ancora una volta lo avevo dentro, la sua lingua mi toccava frettolosa, senza rispetto. Il mio piacere non è arrivato e il suo ritornava, qualcosa di inutile, che non mi riguardava.

«Hai delle labbra grosse e succose tutte da mordere. Perché non le depili? Saresti più bella».

Non ho risposto, non sono affari suoi ciò che faccio delle mie labbra.

Il rumore di un'auto ci ha spaventati, ci siamo rivestiti

di fretta (io non vedevo l'ora) e siamo usciti dal garage.
Mi ha accarezzato il mento e ha detto: «La prossima volta, piccola, lo faremo più comodi».

Sono scesa dall'auto con i vetri appannati e nella strada tutti hanno notato che uscivo spettinata e sconvolta da
quell'auto guidata da uno con i capelli brizzolati e la cravatta scomposta.

11 febbraio

A scuola non va molto bene. Sarò io che sono pigra e in-
concludente, saranno i professori troppo schematici e ca-
tegorici... Forse ho una visione un po' idealista della scuola e dell'insegnamento in generale, ma la realtà mi delude
completamente. Odio la matematica! Il fatto che non sia
un'opinione mi indispettisce. E poi quell'idiota della prof
che continua a darmi dell'ignorante senza sapermi spiegare nulla! Sul "Mercatino" ho cercato gli annunci di insegnanti privati e ne ho trovati un paio interessanti. Solo uno
era disponibile. È un uomo, dalla voce sembra abbastanza
giovane, domani dovremo vederci per accordarci.

Letizia mi batte in testa da mattina a sera, non so cosa
mi stia accadendo. A volte mi sembra di essere disposta a
tutto.

22,40

Mi ha telefonato Fabrizio, abbiamo parlato a lungo.
Alla fine mi ha chiesto se per quella cosa io abbia dispo-
nibilità di luoghi. Ho risposto di no.

«Allora sarà il momento che ti faccia un bel regalo», ha detto.

12 febbraio

Mi ha aperto la porta in camicia bianca e boxer neri, capelli bagnati e occhiali leggeri. Mi sono morsa le labbra e l'ho salutato. Il suo saluto è stato un sorriso e quando ha detto: «Prego, Melissa, accomodati», ho sentito la stessa sensazione di quando da piccola mischiavo latte, arance, cioccolato, caffè e fragole nel giro di un'ora. Ha urlato verso qualcuno che stava in un'altra stanza, dicendo che andava in camera con me. Ha aperto la porta e per la prima volta sono entrata in una stanza da letto di un uomo normale: niente foto pornografiche, nessun trofeo deficiente, niente disordine. I muri erano tappezzati di vecchie foto, di poster di vecchi gruppi heavy metal e di stampe impressioniste. E un profumo particolare e seducente m'inebriava.

Non si è scusato per l'abbigliamento sicuramente informale e a me ha divertito parecchio che non l'abbia fatto. Mi ha detto di sedermi sul letto, mentre lui prendeva la sedia della scrivania e l'avvicinava sedendosi di fronte a me. Ero un po' impacciata... cavolo! Mi aspettavo un arido professorino con maglione a scollo a V color giallo canarino, capelli con il riporto e colorito in tinta con il maglione. Mi si è presentato davanti un giovane uomo, abbronzato, profumato ed estremamente affascinante. Non avevo ancora tolto il cappotto e con una risata mi ha detto: «Ehi, guarda che non ti mangio mica se lo togli».

Ho riso anch'io, dispiaciuta del fatto che non potesse mangiarmi. Non avevo ancora notato le sue scarpe: fortunatamente nessun calzino bianco, solo un'esile caviglia e un piede curato e abbronzato che faceva movimenti concentrici mentre discutevamo sulla tariffa, sul programma e sulle ore di lezione.

«Dobbiamo iniziare da molto, molto lontano», ho detto io.

«Non ti preoccupare, ti farò iniziare dalla tabellina del due», ha ammiccato.

Ero seduta al bordo del letto, con una gamba accavallata e una mano che stringeva l'altra.

«Che bel modo hai di sederti», mi ha interrotta mentre parlavo della mia prof di matematica.

Mi sono morsa nuovamente le labbra e ho sbuffato come per dire «Ma su, dai, cosa dice...!».

«Ah, dimenticavo. Mi chiamo Valerio, non chiamarmi mai professore, mi fai sentire troppo vecchio», ha detto con un dito fintamente minaccioso, cambiando discorso.

Ho indugiato un po': dopo tante battute da parte sua, era ovvio che una io avrei dovuto farla.

Ho schiarito un po' la voce e ho detto piano: «E se io volessi chiamarti volutamente professore?».

Questa volta è stato lui a mordersi le labbra, ha scosso la testa e ha chiesto: «E perché mai dovresti volerlo?».

Ho alzato le spalle e dopo un po' ho detto: «Perché così è più bello, no professore?».

«Chiamami come vuoi ma non guardarmi con quegli occhi», ha detto visibilmente turbato.

Ecco che ricomincio, sempre la solita storia. Che posso farci, non riesco a non provocare chi mi sta davanti e mi piace. Lo colpisco con ogni parola e con ogni silenzio, mi fa sentire bene. È un gioco.

18 febbraio,
20,35

In cucina cenano già. Io mi sono ritagliata un attimo per scrivere, perché voglio rendermi conto davvero di quello che è successo.

Oggi ho avuto la prima lezione con Valerio. Con lui qualcosa riesco a capirla, sarà perché ha delle belle spalle da osservare o delle mani affusolate ed eleganti che accompagnano l'andamento della penna. Sono riuscita a svolgere un paio di esercizi, seppure a fatica. Lui era molto serio, professionale, e questo lo rendeva più affascinante. Mi ha catturata. Gli sguardi che mi rivolgeva erano ammirati, eppure cercava di mantenere una certa distanza fra me e lui, senza che la mia malizia interferisse nel suo lavoro.

Ho indossato una gonna stretta per l'occasione, volevo sedurlo sfacciatamente. Così, quando mi sono alzata per raggiungere la porta, lui ha cominciato a camminare quasi addosso a me. Io, per giocare, alternavo passi veloci e distanziati a passi lenti, in modo da lasciarlo avvicinare per poi ritrarmi subito dopo.

Mentre premevo il pulsante per chiamare l'ascensore ho sentito il suo fiato sul collo e con un sussurro ha detto: «Tieni il telefono libero domani dalle 22 alle 22,15».

19 febbraio 2002
22,30

Due notizie (come al solito una buona e l'altra cattiva).

Fabrizio ha comprato un piccolo appartamento in centro dove possiamo vederci senza essere scoperti dalle rispettive famiglie.

Tutto contento ha esclamato al telefono: «Ho fatto montare uno schermo gigante di fronte al letto, così potremmo vedere certi filmini, eh piccolina? Ah, ovviamente hai anche tu le chiavi. Ti do un grosso bacio sul tuo bel faccino. Ciao ciao». Ovviamente questa è la brutta notizia.

Non mi ha lasciato il tempo di rispondere, di fargli presente le mie perplessità, i miei dubbi. Mi sembra troppo avventato quello che ha fatto. Io avevo intenzione di andarci a letto una volta soltanto e poi arrivederci e grazie, non voglio diventare l'amante di un uomo sposato con figlia a carico! Non voglio lui, il suo appartamento, il suo schermo gigante con i film porno, non voglio che lui acquisti la mia spensieratezza come se acquistasse uno dei suoi soliti prodotti d'alta tecnologia. Con Daniele e l'angelo presuntuoso ho sofferto abbastanza e adesso che sto ricominciando a vivere a modo mio, arriva un orco grasso e incravattato e mi dice che vuole impegnarsi sessualmente con me. Ma le punizioni aleggiano sempre sulle nostre teste, le punte affilate delle spade sono lì pronte a colpirci il centro del cranio quando meno ce lo aspettiamo. E la spada colpirà anche lui perché io ne afferrerò il manico.

Adesso la bella notizia.

La telefonata è arrivata puntuale ed è terminata puntuale.

Ero nuda seduta per terra e la mia pelle era a contatto con il marmo freddo del pavimento della mia stanza. Il telefono in mano e la sua voce sospirata che mi arrivava fluida e sensuale. Mi ha raccontato una sua fantasia. Io seguivo in classe una sua lezione, a un certo punto gli chiedevo di andare in bagno e mentre lo facevo gli davo un bigliettino su cui c'era scritto «seguimi». Lo aspettavo in bagno, lui arrivava, mi strappava la camicetta e con la punta delle dita raccoglieva le goccioline che scorrevano dal lavandino spanato. Le poggiava sul mio petto ed esse scendevano lente. Poi mi alzava la gonnellina a pieghe ed entrava dentro di me, mentre io ero poggiata al muro e raccoglievo nelle mie viscere il suo piacere; le goccioline colavano ancora sul mio corpo, lo bagnavano un poco lasciando piccole scie sulla pelle. Ci ricomponevamo e ritornavamo in classe mentre io dal primo banco seguivo il gesso che scorreva sulla lavagna allo stesso modo in cui lui scorreva dentro di me.

Ci siamo toccati al telefono. Il mio sesso era gonfio come non mai e il Lete in piena solcava il Segreto, le mie dita erano impregnate di me, ma anche di lui che sentivo nonostante la circostanza vicino, e sentivo il suo calore, il suo profumo e immaginavo il suo sapore. Alle 22,15 ha detto: «Buonanotte Loly».

«Buonanotte professore».

20 febbraio 2002

Ci sono giorni in cui non so se smettere di respirare definitivamente o rimanere in apnea per tutto il tempo che mi rimane. Giorni in cui sotto le coperte respiro e ingoio le mie lacrime e sento il loro sapore sopra la lingua. Mi sveglio da un letto in disordine, con i capelli spettinati e la mia pelle violata. Nuda, davanti a uno specchio, osservo il mio corpo. Scorgo una lacrima cadere dall'occhio alla guancia, l'asciugo con un dito e mi graffio un po' la gota con un'unghia. Passo le mani sopra i capelli, li tiro indietro, faccio una smorfia tanto per riuscirmi simpatica e ridere di me stessa: ma non ci riesco, voglio piangere, voglio punirmi.

Mi dirigo verso il primo cassetto del comodino. Prima osservo tutto ciò che c'è dentro, poi scarto con cura ciò che devo indossare. Ripongo gli indumenti piegati sul letto e sposto lo specchio in posizione frontale a dove mi trovo. Osservo ancora il mio corpo. I muscoli sono ancora tesi, la pelle è però morbida e liscia, bianca e candida come quella di una bambina. E bambina sono. Mi siedo al bordo del letto, infilo le autoreggenti puntando il piede e facendo scivolare il sottile velo sulla pelle fino a che la balza in pizzo arriva alla coscia, premendola un poco. Poi è la volta della guêpière, nera in seta con stringhe e nastrini. Mi cinge il busto e assottiglia la vita che è già molto sottile ed evidenzia ancora di più i miei fianchi, troppo prosperosi, troppo rotondi e burrosi per evitare che gli uomini scaraventino lì le loro bestialità. I seni sono ancora piccoli: sono sodi, bianchi e rotondi, si possono tenere in una mano e riscaldarla con il loro calore. La guêpière è stretta, i seni sono compressi e vicini fra loro. Non è ancora tempo di osservarmi. Indosso le scarpe con i tacchi a spillo, infilo il piede fino alla caviglia sottile e sento che il mio metro e sessanta diventa improvvisamente dieci centimetri di più. Vado in bagno, prendo il rossetto rosso e ne bagno le mie labbra succose e morbide; poi infoltisco le ciglia con il rimmel, pettino i capelli lunghi e lisci e spruzzo tre volte il profumo posto sopra lo specchio. Ritorno nella mia camera. Lì vedrò la persona che sa farmi vibrare forte l'anima e il corpo. Mi osservo incantata, gli occhi brillano e quasi lacrimano; una luce speciale fa da contorno al mio corpo e i miei capelli che ricadono dolcemente sulle mie spalle m'invitano ad accarezzarli. La mano dai capelli cade piano, senza che io me ne renda quasi conto, verso il collo; accarezza la pelle delicata e due dita ne cingono un poco la circonferenza premendo piano. Comincio a sentire il suono del piacere, quasi impercettibile ancora. La mano scende un po' di più, inizia ad accarezzare il petto liscio. La bambina abbigliata da donna che ho davanti ha due occhi accesi e vogliosi (di cosa? di sesso? di amore? di vita vera?). La bambina è solo padrona di se stessa. Le sue dita si intrufolano fra i peli del suo sesso e il calore le fa salire un brivido alla testa, mille sensazioni mi invadono.

«Sei mia», mi sussurro e subito l'eccitazione s'impossessa del mio desiderio.

Mi mordo le labbra con i denti perfetti e bianchi, i capelli scomposti mi fanno sudare la schiena, piccole gocce imperlano il mio corpo.

Ansimo, i sospiri aumentano... Chiudo gli occhi, il mio corpo ha spasmi ovunque, la mia mente è libera e vola. Le ginocchia cedono, il respiro è rotto e la lingua percorre stanca le labbra. Apro gli occhi: sorrido alla bambina. Mi avvicino allo specchio e le offro un bacio lungo e intenso, il mio respiro appanna il vetro.

Mi sento sola, abbandonata. Mi sento come un pianeta su cui in questo momento orbitano tre stelle diverse: Letizia, Fabrizio e il professore. Tre stelle che mi fanno compagnia nei pensieri ma non altrettanto nella realtà.

21 febbraio

Ho accompagnato mia madre dal veterinario perché visitasse il mio gattino, affetto da una leggera forma d'asma. Miagolava piano, spaventato dalle mani inguantate del medico; io gli accarezzavo la testa incoraggiandolo con parole dolci.

In macchina mia madre mi ha chiesto come va la scuola e come va con i ragazzi. In entrambe le risposte mi sono mantenuta sul vago. Ormai mentire è di regola, mi sembrerebbe strano non doverlo fare più...

Le ho poi chiesto di accompagnarmi a casa del professore di matematica perché avrei dovuto avere una lezione.

«Ah, bene, così finalmente lo conosco!», ha detto entusiasta.

Non le ho risposto perché non volevo che sospettasse qualcosa, d'altronde ero sicura che Valerio aspettasse da un momento all'altro un incontro con mia madre.

Fortunatamente questa volta il suo abbigliamento era più serioso ma, stranamente, quando mia madre mi ha chiesto di riaccompagnarla all'ascensore mi ha detto: «Non mi piace, ha la faccia di un vizioso».

Ho fatto un gesto di noncuranza e le ho detto che tanto avrebbe solo dovuto impartirmi lezioni di matematica, non dovevamo mica sposarci. E poi mia madre ha questa fissa di riconoscere la gente dalla faccia, ed è una cosa che mi fa innervosire!

Una volta chiusa la porta, Valerio mi ha sollecitata a prendere il quaderno e a iniziare subito. Non abbiamo minimamente parlato della telefonata, solo di radici cubiche, quadrate, binomie... e i suoi occhi si camuffano così bene da lasciarmi in forse. E se quella telefonata è stata fatta per ridicolizzarmi? E se non gli importasse niente di me, se voleva solo un orgasmo al telefono? Mi aspettavo un accenno, un minimo discorso, niente!

Poi, mentre mi porgeva il quaderno mi ha guardata come se avesse capito tutto e ha detto: «Sabato sera non prendere impegni. E non vestirti prima che io non ti abbia chiamata».

L'ho guardato stupita ma non ho detto niente e cercando di simulare un'assurda indifferenza alle sue parole ho aperto il quaderno, ho osservato ciò che aveva scritto e ho letto fra le x e y, in scrittura minuscola :

Come un paradiso era la mia Lolita, un paradiso immerso nelle fiamme

prof. Hubert

Ancora una volta non ho parlato, ci siamo salutati e mi ha ricordato di nuovo l'appuntamento. E chi se lo scorda...

22 febbraio

All'una ho ricevuto la telefonata di Letizia che mi ha chiesto se volevo pranzare con lei. Ho risposto di sì, anche perché non sarei potuta ritornare a casa dal momento che alle 15,30 sarebbero cominciate le prove generali per lo spettacolo. Avevo voglia di vederla, l'ho pensata spesso la notte prima di andare a dormire.

Dal vivo era ancora più bella, più vera. Guardavo le sue mani morbide versarmi il vino e subito dopo osservavo le mie che per colpa del freddo che becco ogni mattina con lo scooter sono diventate rosse e secche come quelle di una scimmia.

Mi ha parlato di tutto, in un'ora è riuscita a raccontarmi i suoi vent'anni. Mi ha parlato della sua famiglia, della madre morta prematuramente, del padre partito per la Germania e della sorella che vede raramente perché adesso è sposata. Mi ha detto dei suoi insegnanti, della scuola, dell'università, degli hobby, del suo lavoro.

Ho guardato le sue sopracciglia e mi è venuto il desiderio forte di baciarle. Che cosa bizzarra le sopracciglia!
Quelle di Letizia si muovono con i suoi occhi e sono talmente belle da indurti a baciare tale perfezione, poi ricadere nel suo volto, nelle sue guance, nella sua bocca...
Adesso, lo so diario, la desidero. Desidero il suo calore, la
sua pelle, le sue mani, la sua saliva, la sua voce sussurrata.
Vorrei accarezzarle la testa, visitare il suo isolotto con il
mio respiro, procurarle una festa in tutto il corpo. Eppure
mi sembra ovvio che mi senta bloccata, per me è una cosa
nuova e non posso certo pretendere che anche lei abbia le
stesse sensazioni, o forse ce l'ha ma non lo saprò mai. Mi
guardava e si inumidiva le labbra, il suo sguardo era ironi-
co e io mi sentivo arresa. Non a lei, ma ai miei capricci.

«Vuoi fare l'amore, Melissa?», mi ha chiesto mentre
sorseggiavo il vino.

Ho poggiato sul tavolo il bicchiere, l'ho guardata turbata e ho agitato la testa in gesto di assenso.

«Devi però insegnarmelo...».

Insegnarmi a fare l'amore con una donna o insegnarmi
ad amare? Forse le due cose si compensano...

23 febbraio
5,45

Sabato notte, o meglio domenica mattina dal momento che la notte è già trascorsa e il cielo si è schiarito. Mi
sento felice, diario, ho in corpo tanta euforia placata tuttavia dalla sensazione di beatitudine, una tranquillità piena e dolce m'invade tutta. Stanotte ho scoperto che lasciarsi andare con chi ci piace e c'invade i sensi è qualco-

sa di sacro, è lì che il sesso smette di essere solo sesso e inizia ad essere amore, lì, ad annusare i peli profumati del suo dorso, oppure ad accarezzare le sue spalle forti e morbide, a lisciare i suoi capelli.

Non ero per nulla agitata, sapevo quello che stavo per fare. Sapevo di deludere i miei genitori. Stavo salendo nella macchina di un semi-sconosciuto ventisettenne, un attraente professore di matematica, qualcuno che ha infuocato i miei sensi. L'ho aspettato fuori casa, sotto l'imponente albero di pino e ho visto la sua vettura verde avanzare piano con lui dentro, aveva una sciarpa intorno al collo e il riflesso delle lenti mi colpiva. Contrariamente a quello che mi ha detto qualche giorno fa non ho aspettato che mi chiamasse per ordinarmi ciò che avrei dovuto indossare. Ho preso la biancheria del primo cassetto, l'ho indossata e ho messo su un vestitino nero. Mi sono guardata allo specchio e ho fatto una smorfia pensando che mancava qualcosa; ho infilato le mani sotto la gonna e sfilato gli slip e allora ho sorriso e ho sussurrato piano: «Così sei perfetta», e mi sono mandata un bacio.

Quando sono uscita di casa sentivo il freddo entrare sotto la gonna, il vento sfiorava scontroso il mio sesso nudo; salita in macchina, il professore mi ha guardata con occhi illuminati e incantati e mi ha detto: «Non hai messo quello che ti avevo chiesto di indossare».

Allora ho rivolto lo sguardo alla strada davanti a me e ho detto: «Lo so, disubbidire agli insegnanti è la cosa che mi riesce meglio».

Mi ha dato un bacio un po' rumoroso sulla guancia e siamo partiti per un luogo segreto.

Continuavo a far scorrere le dita fra i miei capelli, lui forse pensava fosse tensione, era solo ansia. Ansia di averlo lì, subito, senza nessun presupposto. Non so di cosa abbiamo parlato durante il tragitto perché nella mia mente c'era il pensiero di possederlo; l'ho guardato negli occhi mentre guidava, mi piacciono i suoi occhi: hanno ciglia lunghe e nere, occhi intriganti, magnetici. Mi sono accorta che mi lanciava occhiate furtive ma ho fatto finta di niente, anche questo fa parte del gioco. Poi siamo arrivati al Paradiso, o forse all'Inferno, dipende dai punti di vista. Con la sua utilitaria abbiamo percorso strade e stradine deserte e strettissime dalle quali mi sembrava impossibile poter passare; abbiamo superato una chiesa diroccata e coperta d'edera e di muschio e Valerio mi ha detto: «Controlla se alla tua sinistra c'è una fontana, il posto è nella traversina subito dopo».

Ho scrutato attentissima la strada sperando di trovare al più presto la fontana dentro quell'oscuro labirinto.

«Eccola!», ho esclamato un po' troppo forte.

Ha spento il motore davanti a un portone verde e arrugginito e i fari dell'auto illuminavano delle frasi scritte su di esso; i miei occhi si sono posati su due nomi inseriti in un cuore tremolante: Valerio e Melissa.

L'ho guardato stupita e gli ho indicato ciò che avevo letto.

Lui ha sorriso e ha detto: «Non ci posso credere...!», poi si è voltato verso di me e ha sussurrato: «Vedi? Siamo scritti nelle stelle».

Non ho capito cosa volesse dire, tuttavia quel «siamo» mi ha rassicurata e mi ha fatta sentire parte di un insieme i cui membri erano due e simili e non due e diversi come me e lo specchio.

Ho avuto paura di questo paradiso perché era buio, scosceso, impraticabile soprattutto se s'indossano stivali parecchio alti. Cercavo di aggrapparmi il più possibile a lui, volevo sentire il suo calore. Siamo inciampati ripetutamente fra quei massi, per quelle stradine piccolissime e buie, recintate da mura, l'unica parte visibile era il cielo, stellatissimo questa notte, e la luna che andava e veniva giocando come stavamo facendo noi. Non so perché ma questo posto mi ha ispirato sensazioni macabre e oscure: pensavo stupidamente, o legittimamente forse, che da qualche parte, vicino, si stesse svolgendo una messa nera in cui io ero la vittima designata; uomini incappucciati mi avrebbero legata a un tavolo, sarei stata circondata da candele e candelabri, poi mi avrebbero stuprata a turno e in ultimo uccisa con un pugnale dalla lama sinuosa e affilata. Ma mi fidavo di lui, erano forse pensieri dovuti all'inconsapevolezza di quel momento magico. Quelle stradine che avevano suscitato in me qualche timore ci hanno portati a una radura a strapiombo sul mare, si potevano sentire le onde che spumeggiavano sulla riva. C'erano rocce bianche, lisce e grandi: ho immaginato subito a cosa potessero servire. Prima di avvicinarci siamo inciampati per l'ennesima volta; lui mi ha attirata a sé avvicinandomi al suo volto, ci siamo sfiorati le labbra senza baciarle annusando i nostri odori e ascoltando il nostro respiro. Ci siamo avvicinati l'uno all'altra e abbiamo divorato le nostre labbra, succhiandole e mordendole. Le nostre lingue si sono incontrate: la sua era calda e morbida, mi accarezzava dentro come una piuma ma mi ha fatta sussultare. I baci si sono arroventati finché mi ha chiesto se poteva toccarmi, se quello fosse il momento. Sì, ho risposto, è il momento. Si è bloccato quando ha scoperto che ero senza mutandine, è rimasto fermo qualche secondo davanti alla mia carnosa nudità. Poi ho percepito le sue impronte che sfregavano quel vulcano che stava scoppiando. Mi ha detto che voleva gustarmi.

Così mi sono seduta su uno di quegli enormi massi e la sua lingua ha accarezzato il mio sesso come la mano di una madre accarezza la guancia di un neonato: piano, dolcemente, il piacere lo coglievo inesorabile e continuo, denso e fragile al tempo stesso, mi scioglieva.

Si è alzato e mi ha baciata e ho sentito i miei umori nella sua bocca, li ho sentiti dolci. Gli avevo già sfiorato il membro diverse volte e l'avevo sentito duro e corposo sotto i jeans; si è sbottonato e mi ha offerto il suo pene. No, non sono mai stata con un uomo circonciso, non sapevo che il glande fosse già fuori. Si presenta come una punta liscia e morbida alla quale mi è stato impossibile non avvicinarmi.

Mi sono alzata e avvicinandomi al suo orecchio ho sussurrato: «Scopami».

Lo voleva anche lui e mi ha chiesto mentre mi rialzavo dalla mia posizione in ginocchio da chi avessi imparato a leccare in quel modo, lo ha fatto impazzire la mia lingua serpentina.

Mi ha detto di mettermi di spalle, con le natiche ben in vista; prima me le ha osservate, ho considerato bizzarro questo suo gesto però il suo sguardo poggiato sulle mie rotondità mi ha eccitato tantissimo. Ho aspettato il primo colpo con le mani poggiate sulla pietra fredda e liscia. Si è avvicinato e ha puntato il bersaglio. Ho voluto che mi dicesse in che modo mi stessi offrendo a lui: una troietta che non ha mai fine. Ho emesso un gemito di assenso accompagnato da un colpo ben assestato, secco. Poi mi sono staccata da quel piacevole puzzle e guardandolo implorante di sentirlo ancora dentro gli ho detto che aspettare qualche minuto prima di impossessarci dei reciproci corpi avrebbe intensificato i nostri piaceri.

«Andiamo in macchina», gli ho detto, «staremo più comodi».

Abbiamo attraversato nuovamente l'oscuro labirinto, ma questa volta non avevo più paura, il mio corpo era attraversato da mille spiritelli che si divertivano a rincorrersi e a farmi sentire a tratti angosciata e a tratti euforica, di un'euforia ineffabile. Prima di risalire in macchina ho riosservato i nomi scritti sul portone e ho sorriso lasciando che lui entrasse per primo. Mi sono spogliata subito, completamente, volevo che ogni cellula del nostro corpo e della nostra pelle entrasse a contatto con quella dell'altro e si scambiasse sensazioni nuove, esaltanti. Mi sono messa sopra di lui e ho cominciato a cavalcarlo con foga donandogli colpi dolci e ritmici alternati a colpi secchi, duri e severi. Leccandolo e baciandolo l'ho sentito gemere. I suoi gemiti mi fanno morire, perdo il controllo. È facile perdere il controllo con lui.

«Siamo due padroni», chiede a un certo punto, «come faremo a sottomettere l'uno all'altra?».

«Due padroni si fottono e godono a vicenda», ho risposto.

Ho serrato colpi incisivi e magicamente ho afferrato quel piacere che nessun uomo ha mai saputo darmi, quel piacere che solo io sono in grado di procurarmi. Ho sentito degli spasmi ovunque, nel sesso, nelle gambe, nelle braccia, persino sulla faccia. Il mio corpo era tutto una festa. Ha tolto la maglietta e ho sentito il suo torso nudo e villoso, caldissimo, a contatto con il mio seno bianco e liscio. Ho strofinato i capezzoli sopra quella scoperta meravigliosa, l'ho accarezzata con entrambe le mani per farla mia del tutto.

Poi sono scesa dal suo corpo e lui mi ha detto: «Toccalo con un dito».

L'ho fatto stupita e ho visto lacrimare il suo membro, istintivamente ho avvicinato la bocca e ho ingoiato quello che è lo sperma più dolce e zuccheroso che abbia mai assaggiato.

Mi ha abbracciata per qualche istante e per quell'istante che a me è parso immenso mi è sembrato di avere tutto lì con me. Poi teneramente mi ha poggiato la testa sul sedile mentre stavo ancora nuda, rannicchiata e illuminata dalla luna.

Avevo gli occhi chiusi, ma riuscivo comunque a percepire il suo sguardo su di me. Ho pensato che fosse ingiusto lasciarmi gli occhi addosso per tutto quel tempo, che gli uomini non si accontentano mai del tuo corpo, che oltre ad accarezzarlo, baciarlo, vogliono stamparselo nella testa e non cancellarlo più. Mi chiedevo cosa potesse provare nel guardare il mio corpo addormentato e fermo; per me non è necessario guardare, è importante percepire e io questa notte l'ho percepito. Ho cercato di reprimere una risata quando l'ho sentito borbottare lamentandosi di non trovare l'accendino e con gli occhi ancora chiusi e la voce roca gli ho detto che l'avevo visto volare dalla tasca della camicetta mentre la buttava sul sedile anteriore. Si è limitato a guardarmi per un misero istante e ha aperto il finestrino lasciando entrare quel freddo che prima non avevo sentito.

Poi dopo molti minuti di silenzio ha detto buttando via il fumo della sigaretta: «Non ho mai fatto una cosa del genere».

Sapevo a cosa si riferiva, sentivo che quello era il momento dei discorsi seri che avrebbero compromesso o al contrario rafforzato questa pericolosa, precaria ed eccitante relazione.

Mi sono avvicinata piano alle sue spalle poggiando su di esse la mia mano e sulla mia mano le labbra. Ho aspettato un po' prima di parlare, ma sapevo quello che dovevo dire fin dal primo istante.

«Il fatto che tu non l'abbia mai fatto non significa che sia sbagliato».

«Ma nemmeno giusto», ha detto aspirando altro fumo.

«E a noi cosa importa se sia giusto o sbagliato? L'importante è che siamo stati bene, che l'abbiamo vissuto fino in fondo», mi sono morsa le labbra consapevole che un uomo adulto non avrebbe dato ascolto a una ragazzina così presuntuosa.

Invece si è girato, ha gettato la sigaretta e ha detto: «Ecco perché mi fai perdere la testa: sei matura, intelligente, e hai una passione dentro che non ha limiti».

È lui, diario. L'ha conosciuta. La mia passione intendo. Riaccompagnandomi a casa mi ha detto che era meglio se smettevamo di vederci da professore e alunna, non mi avrebbe mai più considerato sotto quell'aspetto e poi non mischia mai il lavoro al piacere. Ho risposto che mi andava bene, l'ho baciato sulla guancia e ho aperto il portone mentre aspettava che io entrassi.

24 febbraio

Stamattina non sono andata a scuola, ero troppo stanca. E poi stasera avrò la prima dello spettacolo, sono giustificata.

Verso l'ora di pranzo ho ricevuto un messaggio da Letizia in cui mi diceva che alle 21 in punto sarà lì a guardarmi. Già, Letizia... ieri l'ho scordata. Ma come si fa ad assemblare la perfezione con la perfezione? Ieri avevo Valerio e mi bastava; oggi sono sola e non mi basto (perché da sola non mi basto più?), voglio Letizia.

P.S.: Quel cretino di Fabrizio! Si era messo in testa di venirmi a vedere con la moglie! Meno male che non è tanto presuntuoso, alla fine l'ho convinto a restarsene a casa.

1,50

Stasera non sono stata particolarmente agitata, anzi mi attraversava una leggera apatia, non vedevo l'ora di finire. Tutti gli altri saltellavano chi per paura chi per contentezza, io stavo dietro il sipario a spiare la gente che arrivava, attentissima osservavo se Letizia era già entrata. Non l'ho vista e Aldo, lo scenografo, mi ha chiamata dicendomi che si doveva iniziare. Allora si sono spente le luci della platea e si sono accese quelle del palco. Mi sono lanciata in scena come una freccia scoccata dall'arco, sono arrivata sul palcoscenico schizzando esattamente nel modo in cui il regista mi ha sempre pregato di fare durante le prove senza però che io ci sia mai riuscita. Eliza Doolittle ha stupito tutti, persino me stessa, è venuta fuori una naturalezza di gesti e di espressione assolutamente nuova, ne ero entusiasta. Dal palco cercavo di scorgere Letizia senza però riuscirci. Così ho aspettato che finisse lo spettacolo, i saluti, gli applausi e da dietro il sipario ormai chiuso ho continuato a scrutare gli ospiti per incontrare il suo volto. C'erano i miei genitori, alle stelle, che battevano forte le mani, c'era Alessandra che non vedevo da mesi, e per fortuna di Fabrizio nemmeno l'ombra.

Poi l'ho vista, il suo volto era illuminato e allegro, batteva le mani come una forsennata; mi piace anche per questo, perché è spontanea, allegra, mette dentro una gioia di vivere estrema, guardarla in viso significa esasperare la propria contentezza.

Aldo mi ha tirata per un braccio e ha esclamato forte: «Brava, brava tesoro! Dai, dai sbrigati, vai a cambiarti, andiamo a festeggiare fuori con gli altri», aveva un'espressione folle e particolare, mi sono messa a ridere rumorosamente.

Gli ho detto che non potevo, dovevo vedere una persona. Nello stesso momento è arrivata Letizia con il suo volto sorridente; quando si è accorta di Aldo la sua espressione è mutata, il suo sorriso è scomparso e gli occhi si sono rabbuiati. Ho visto Aldo e ho notato la stessa espressione seria calare sul volto sbiancato. Mi sono girata come una scema due o tre volte per osservare prima l'uno e poi l'altra, dopodiché ho chiesto: «Ma che c'è? Che avete?».

Sono rimasti in silenzio, guardandosi adesso con occhi duri, quasi minacciosi.

Aldo ha parlato per primo: «Niente, niente, andate. Dirò agli altri che non sei potuta venire. Ciao bella», mi ha baciata in fronte.

Confusa l'ho guardato mentre scappava via, mi sono voltata verso Letizia e le ho chiesto: «Ma si può sapere che succede? Vi conoscete?».

Adesso era più rasserenata, è stata un po' titubante, cercava di sfuggire ai miei occhi e ha abbassato il viso coprendolo con le mani lunghe e affusolate.

Poi mi ha guardata dritta negli occhi e ha detto: «Penso che tu sappia che Aldo è omosessuale».

Lo sappiamo tutti a scuola, lui ne parla ormai liberamente e ho risposto di sì.

«E allora?», ho cercato di farla continuare.

«Allora, qualche tempo fa stava con un ragazzo, poi... be' poi ci siamo conosciuti, io e il ragazzo intendo... Aldo sospettava già qualcosa», le sue parole erano lente e frammentate.

«Sospettava cosa?», ho chiesto contemporaneamente curiosa e isterica.

Mi ha guardata con i suoi occhioni lucidi: «No, non posso dirtelo, scusami... non posso...».

Ha rivolto lo sguardo altrove e ha detto: «Che non sono solo lesbica...».

E io cosa sono? Una donna e nemmeno, all'anagrafe sono ancora troppo piccola, dunque una femmina che cerca riparo e amore fra le braccia di una donna. Ma sto mentendo, diario, non permetterei mai alla mia metà di somigliarmi così tanto, devo essere l'unico membro femminile dello stesso insieme. Ciò che di Letizia guardo e ardisco è solo il corpo, l'essenza carnale ma, devo dire, anche quella spirituale. Lei mi piace tutta, m'intriga e mi affascina, da qualche tempo è diventata la protagonista di molte mie fantasie. L'amore, quello che cerco da sempre, a volte mi sembra così lontano, così diverso da me...

1 marzo 2002
23,20

Quando oggi sono uscita di casa mio padre era seduto sul divano che guardava con espressione assente lo schermo. Con aria apatica mi ha chiesto dove stessi andando e a me è sembrato superfluo rispondere dal momento che qualsiasi cosa gli avessi detto non avrebbe cambiato espressione del volto, sarebbe rimasto lì supino.

Se gli avessi detto: «Vado nella casa che ha appena comprato un uomo sposato con cui scopo», gli avrebbe provocato lo stesso effetto della mia risposta: «A studiare a casa di Alessandra».

Ho chiuso la porta piano, non volevo disturbare i suoi astratti pensieri lontani da me.

Fabrizio mi ha già provvista delle chiavi dell'appartamento, mi ha detto di aspettarlo lì che lui sarebbe arrivato dopo il lavoro.

Non l'avevo ancora visto, figurati quanto me ne importa. Ho posteggiato lo scooter davanti al palazzo e sono entrata nell'androne semibuio e deserto.

La voce della portinaia che mi chiedeva chi cercassi mi ha fatta sobbalzare e un caldo improvviso mi ha sorpresa.

«Sono la nuova inquilina», ho detto forte e scandendo le parole pensando scioccamente che la portinaia fosse sorda. Lei infatti ha subito chiarito: «Non sono sorda. A che piano deve andare?».

Ho pensato un po' poi ho detto: «Al secondo, la casa che ha appena preso il signor Laudani».

Ha sorriso e ha detto: «Ah, sì! Suo padre mi ha detto di dirle che è meglio se chiude la porta a chiave una volta dentro».

...Mio padre? Ho lasciato correre, era inutile spiegare che non lo era e anche piuttosto imbarazzante.

Ho aperto la porta e nello stesso momento in cui la chiave ha schioccato, ho pensato a quanto fosse stupido e insensato quello che mi stavo accingendo a fare. Stupida io a fare una cosa che non volevo assolutamente iniziare.

Tutto contento con quella voce da ebete, Fabrizio mi aveva detto che questo pomeriggio sarebbe stato particolare, che avremmo inaugurato il "nostro rifugio d'amore" con qualcosa di memorabile. L'ultima volta che ho fatto qualcosa che qualcuno mi aveva annunciato memorabile ho succhiato i cazzi di cinque persone in una stanza buia che odorava di spinello. Spero che almeno oggi il tema cambi. L'ingresso era piuttosto piccolo e alquanto scialbo, solo un tappeto rosso donava un po' di colore; da lì ho potuto vedere tutte le altre camere, sebbene in parte: la camera da letto, un piccolo soggiorno, un cucinino e uno sgabuzzino. Ho evitato di andare in camera da letto per non vedere da vicino quello scempio che aveva fatto montare di fronte al letto, mi sono diretta verso il soggiorno. Passando di fronte allo sgabuzzino non ho potuto fare a meno di notare tre scatole colorate poggiate sul pavimento, così ho acceso la luce e sono entrata. Davanti alle scatole c'era un bigliettino su cui a caratteri grandi c'era scritto: APRI LE SCATOLE E INDOSSA UNA FRA LE COSE CHE CI SONO. La cosa mi ha catturata parecchio, la mia curiosità si è accesa.

Ho frugato fra le scatole e tutto sommato devo riconoscere che la fantasia non gli manca; nella prima c'era biancheria intima bianca e candida di pizzo, sottana in velo, slip sensuali eppure casti, reggiseno a balconcino. Un altro bigliettino posto dentro diceva: PER UNA BIMBA CHE HA BISOGNO DI COCCOLE. Prima scatola scartata.

La seconda conteneva un perizoma rosa con delle piume dietro come se fosse la coda di un coniglio, un paio di calze a rete, scarpe rosse con il tacco vertiginoso e un altro bigliettino: PER UNA CONIGLIETTA CHE VUOLE ESSERE CATTURATA DAL CACCIATORE. Prima di scartarla volevo vedere ciò che riservava la terza scatola.

Mi piaceva questo gioco, questo scoprire le sue voglie.

La terza scatola è quella che ho scelto: una lucida e nera tuta in latex accompagnata da lunghi e alti stivali in pelle, un frustino, un fallo nero e un tubetto di vasellina. Nella scatola oltre ad alcuni cosmetici c'era il bigliettino che diceva: PER UNA PADRONA CHE VUOLE PUNIRE IL SUO SCHIAVO. Punizione migliore di questa non sarebbe potuta esserci, me l'aveva proposta con i suoi stessi mezzi. Poi più in basso un post scriptum: SE DECIDERAI DI INDOSSARE QUESTA DOVRAI CHIAMARMI SOLO DOPO AVERLA INDOSSATA. Non ho capito il perché di questa richiesta eppure mi è andata bene, il gioco si faceva più interessante: l'avrei fatto venire e andare quando avrei voluto... bello!

Potevo mandarlo affanculo senza rimorsi o sensi di colpa. Però mi scocciava fare quell'intrigante gioco con lui, non lo reputavo all'altezza, immagino che avere tutte quelle opportunità con il professore sarebbe fantastico. Ma dovevo, ha fatto troppe cose per garantirsi alcune scopate con me, la casa prima, adesso questi regali. Ho visto lo schermo del cellulare lampeggiare, mi stava chiamando. Ho rifiutato la chiamata e gli ho mandato un messaggio in cui dicevo che avevo scelto la terza scatola e che l'avrei chiamato io, dopo.

Sono andata in soggiorno, ho aperto la finestra che dava sul balcone e ho lasciato che un po' d'aria fresca mandasse via l'odore di chiuso, poi mi sono sdraiata sul tappeto dai colori caldi e avvolgenti; l'aria fresca, il silenzio, la luce soffusa che proveniva dal sole morente mi hanno accompagnata in un sonno. Ho chiuso piano le palpebre e ho respirato a pieni polmoni finché il mio stesso respiro lo percepivo come un'onda che viene e va, s'infrange sullo scoglio e poi si ritira nuovamente nella vastità del mare. Un sogno mi ha cullata e mi ha tenuta fra le braccia la passione. Non riuscivo a scorgere l'uomo sebbene nel sogno sapessi bene chi fosse, ma la sua identità nella realtà mi sfugge, i suoi tratti erano indefiniti, eravamo incastrati l'un l'altra come una chiave con la sua serratura, come la vanga del contadino conficcata sulla terra ricca e rigogliosa. Il suo membro eretto dopo essersi assopito per qualche tempo stava ricominciando a darmi gli stessi sussulti di prima e la mia voce spezzata gli faceva capire quanto quel gioco mi stesse piacendo. La mia voglia lo faceva intorpidire quasi io fossi uno spumante fresco e frizzante che donava l'ebbrezza necessaria perché i sensi andassero a toccare il punto più alto del cielo.

Dopo si sentiva sempre più spossato dal mio corpo e dai miei movimenti così rapidi eppure così lenti da fargli perdere la concezione del tempo. Ho staccato piano i miei glutei dal suo sesso perché la freccia non uscisse improvvisa dalla ferita aperta e rossastra e ho cominciato a osservarlo con il mio sorriso da lolita. Ho ripreso i legacci di seta che poco prima avevano serrato i miei polsi, questa volta per cingere i suoi; le sue palpebre chiuse facevano intuire il desiderio di possedermi forte e violento, ma ho capito che volevo attendere... attendere ancora...

Ho poi preso le mie autoreggenti nere, quelle con la balza in pizzo, e ho legato le sue caviglie ai piedi delle due sedie che avevo avvicinato ai bordi del letto. Adesso era aperto al suo e al mio piacere. In mezzo a quel corpo nudo si erigeva l'asta dell'amore, sicura, dritta e inesorabile, che non avrebbe tardato a volersi impadronire della mia rosa segreta ancora una volta. Sono salita su di lui, ho strusciato la mia pelle alla sua percependo i miei e i suoi brividi ugualmente scossi da leggere ondate di piacere, i miei capezzoli irti carezzavano lievemente il suo torso percorso da peli che punzecchiavano la mia pelle liscia, il suo respiro si scontrava caldo con il mio.

Ho passato la punta delle dita sulle sue labbra massaggiandole piano; poi le mie dita entravano nella sua bocca, piano, dolcemente... i suoi mugolii mi facevano capire quanto le dita nel loro viaggio di scoperta lo stessero eccitando. Ho portato un dito alla mia rosa bagnata e l'ho inumidito con la sua rugiada, poi l'ho riportato alla cima del suo pene, rossa ed eccitata, che al tocco ha vibrato leggermente nell'aria come la bandiera del comandante vincitore della battaglia. A cavalcioni su di lui, con le natiche rivolte verso lo specchio che si riflettevano nei suoi occhi, ho abbassato il busto e gli ho sussurrato «Ti voglio» all'orecchio.

Era bello vederlo in balìa dei miei desideri, lì steso nudo con le lenzuola bianche che facevano da contorno al suo corpo teso ed eccitato... ho preso la sciarpa profumata con la quale ero entrata in casa e ho bendato i suoi occhi perché non potessero vedere il corpo che lo lasciava attendere.

L'ho lasciato lì molti minuti. Troppi minuti. Io impazzivo dalla voglia di cavalcare quell'asta perennemente eretta, non stanca dell'attesa, eppure volevo farlo aspettare, sempre aspettare. Finalmente mi sono alzata dalla sedia della cucina per entrare nuovamente nella camera da letto dove lui mi attendeva legato. È riuscito a sentire i miei passi volutamente felpati e silenziosi e ha emesso un sospiro di gratitudine, si è mosso un poco prima che il mio corpo lentamente lo inghiottisse dentro di sé...

Mi sono svegliata che il cielo era di un blu intenso e la luna già visibile attaccata come una sottile unghia al tetto del mondo, ero ancora eccitata dal sogno. Ho preso il cellulare e l'ho chiamato.

«Pensavo non ti saresti fatta sentire», ha detto preoccupato.

«Ho fatto i miei comodi», ho risposto cattiva.

Mi ha detto che sarebbe arrivato in un quarto d'ora e che dovevo aspettarlo sul letto.

Mi sono spogliata e ho lasciato i miei indumenti per terra nello sgabuzzino, ho preso il contenuto della scatola e ho indossato quella stretta tuta che mi si è attaccata addosso e tirava la pelle pizzicandola. Gli stivali mi arrivavano esattamente a metà coscia. Non ho capito bene perché avesse inserito anche un rossetto rosso fiammante, un paio di ciglia finte e un fard molto acceso. Sono andata in camera da letto per specchiarmi e quando ho visto la mia immagine ho avuto un sussulto: ecco la mia ennesima trasformazione, il mio ennesimo prostrarmi ai desideri proibiti e nascosti di qualcuno che non sono io e che non mi ama. Ma questa volta sarebbe stato diverso, avrei avuto una degna ricompensa: la sua umiliazione. Anche se, in realtà, gli umiliati eravamo entrambi. È arrivato un po' più tardi dell'orario che mi aveva detto, si è scusato dicendo che aveva dovuto inventare una balla con la moglie. Povera moglie, ho pensato, ma stasera la punizione l'avrà anche da parte tua.

Mi ha trovata stesa sul letto mentre ero intenta a osservare un moscone che sbatteva contro la lampadina appesa al soffitto producendo un rumore fastidioso e ho pensato che la gente sbatte convulsamente contro il mondo allo stesso modo di quello stupido animale: crea rumore, scompiglio, ronza intorno alle cose senza mai poterle afferrare completamente; qualche volta confonde un desiderio con una trappola e ci rimane stecchita, marcendo sotto il riflettore blu dentro la gabbia.

Fabrizio ha poggiato la sua ventiquattrore per terra ed è rimasto fermo sull'uscio della porta osservandomi in silenzio. I suoi occhi parlavano in maniera eloquente e l'eccitazione sotto i suoi pantaloni mi confermava tutto: avrei dovuto torturarlo piano ma con cattiveria.

Poi ha parlato: «Tu mi hai già violentato la testa, mi sei entrata dentro. Adesso dovrai violentarmi il corpo, dovrai far entrare qualcosa di te nella mia carne».

«Non ti sembra che a questo punto non si distingue più chi è lo schiavo e chi il padrone? Decido io cosa devo fare, tu devi solo subire. Vieni!», ho esclamato come la migliore delle padrone.

Si è diretto a lunghi e frettolosi passi verso il letto e osservando lo scudiscio e il fallo sopra il comodino ho sentito il sangue ribollire e una frenesia che mi stava eccitando. Volevo sapere che orgasmo avrebbe provato, e soprattutto volevo vedere il suo sangue.

Nudo sembrava un verme, aveva pochi peli, la sua pelle era lucida e molle, il suo ventre gonfio e largo, il suo sesso improvvisamente eccitato. Ho pensato che donargli la stessa dolce violenza del sogno sarebbe stato troppo, lui meritava una punizione cruda, malvagia, forte. L'ho fatto stendere per terra a pancia in giù, il mio sguardo era altero e freddo, distaccato, gli avrebbe gelato il sangue nelle vene se solo lo avesse visto. Si è voltato con il viso sbiancato e sudato e io ho puntato il tacco del mio stivale in pelle con forza sulla sua schiena. La sua carne è stata flagellata dalla mia vendetta. Urlava, ma urlava piano, forse piangeva, la mia mente era in uno stato talmente confuso che mi era impossibile distinguere i suoni e i colori attorno a me.

«Di chi sei?», gli ho chiesto gelida.

Un rantolo prolungato e poi la voce rotta: «Tuo. Sono il tuo schiavo».

Mentre diceva così il mio tacco è sceso per la spina dorsale ed è finito fra le sue natiche, premendo.

«No Melissa... No...», ha detto ansimando forte.

Non sono stata capace di continuare, così ho preso gli accessori allungando la mano verso il comò e li ho poggiati sul letto. L'ho girato con un calcio obbligandolo alla posizione supina e ho riservato al suo petto lo stesso trattamento della schiena.

«Girati!», gli ho ordinato nuovamente. Lui l'ha fatto e io mi sono messa a cavalcioni su una sua coscia e senza rendermene conto ho cominciato a sfregare leggermente il sesso trattenuto dalla tuta aderente.

«Hai la fichetta tutta bagnata, dai fammela leccare...», ha detto in un sospiro.

«No!», ho detto forte .

La sua voce si è spezzata e riuscivo a sentirlo mentre mi diceva di continuare, di fargli male.

La mia eccitazione cresceva, riempiva il mio animo e poi usciva nuovamente dal mio sesso provocando una misteriosa esaltazione. Lo stavo sottomettendo e ne ero felice. Felice per me e felice per lui. Per lui perché era quello che voleva, uno dei suoi più grandi desideri. Per me perché è stato come affermare la mia persona, il mio corpo, la mia anima, tutta me stessa su un'altra persona, risucchiandola completamente. Stavo partecipando alla festa di me stessa. Prendendo il frustino in mano ho passato prima l'asta e poi i fili in cuoio sul suo sedere, senza però colpirlo; poi ho dato un leggero colpo e ho sentito il suo corpo sussultare e tendersi. Sopra di noi sempre il moscone che sbatteva contro la lampadina e davanti a me la tenda che la finestra semiaperta tirava fino a strapparla. L'ultimo colpo violento alla sua schiena torturata e arrossata e poi ho preso il fallo. Non ne avevo mai tenuto in mano uno, e non mi piaceva. Ho cosparso il gel appiccicoso sulla superficie impregnandomi le dita della falsità, della non naturalità; era ben diverso dal vedere Gianmaria e Germano entrare piano nei loro rispettivi corpi, farlo con dolcezza, tenerezza, essere dentro a una realtà diversa ma vera, confortante. Questa realtà invece mi ha fatto schifo: tutto falso, tutto miseramente ipocrita. Ipocrita lui verso la sua vita, verso la sua famiglia, verme nel prostrarsi ai piedi di una bambina. È entrato con difficoltà e sotto le mie mani l'ho sentito vibrare come se avesse spaccato qualcosa: le sue viscere. Lo penetravo ripetendomi in testa delle frasi, come delle formule da pronunciare durante un rito.

Questo è per la tua ignoranza, primo colpo, questo per la tua debole presunzione, secondo colpo, per tua figlia che non saprà mai di avere un padre come te, per tua moglie che ti sta vicino la notte, per non comprendermi, per non capirmi, per non aver colto l'essenza fondamentale di me che è la bellezza. La bellezza, quella vera, che abbiamo tutti e tu non hai. Tanti colpi, tutti duri, secchi, laceranti. Lui gemeva sotto di me, urlava, piangeva a tratti, e il suo orifizio si allargava e lo vedevo rosso di tensione e di sangue.

«Non hai più fiato, brutto schifoso?», ho detto con un ghigno crudele.

Ha urlato forte, forse ha provato un orgasmo e poi l'ha detto: «Basta, ti prego».

E io mi sono fermata mentre i miei occhi si riempivano di lacrime. L'ho lasciato sul letto, sconvolto, distrutto, completamente rotto; mi sono rivestita e nell'androne ho salutato la portinaia. Non l'ho salutato, non l'ho guardato, sono andata via e basta.

Quando sono arrivata a casa non mi sono guardata allo specchio e prima di andare a dormire non mi sono data cento colpi di spazzola: vedere il mio viso distrutto e i miei capelli scombinati mi avrebbe fatto male, troppo.

4 marzo 2002

La notte è stata piena di incubi, uno in particolare mi ha fatto rabbrividire.

Correvo per un bosco buio e arido inseguita da personaggi oscuri e malefici. Davanti ai miei occhi si ergeva una torre illuminata dal sole, proprio come Dante che cerca di arrivare al colle senza però riuscirci perché ostacolato dalle tre fiere. Solo che a ostacolarmi non erano in realtà tre fiere ma un angelo presuntuoso e i suoi diavoli, e dietro di loro un orco con il ventre sazio di corpi di giovani bambine, più lontano un mostro androgino seguito da giovani sodomiti. Avevano tutti la bava alla bocca e qualcuno si trascinava a stento strusciando il proprio corpo sulla terra secca. Io correvo voltandomi continuamente per paura che uno di loro mi raggiungesse; tutti urlavano frasi sconnesse, impronunciabili. A un certo punto non ho fatto caso all'ostacolo davanti a me e ho gridato forte e sgranando gli occhi ho osservato il volto bonario di un uomo che prendendomi per mano mi ha condotta attraverso bui passaggi segreti ai piedi dell'alta torre. Ha proteso il dito e ha detto: «Sali per le scale e non voltarti mai, sulla cima ti fermerai e troverai quello che hai cercato invano nel bosco».

«Come posso ringraziarti?», ho chiesto in lacrime.

«Corri, prima che io mi ricongiunga a loro!», ha urlato scuotendo forte la testa.

«Ma sei tu, sei tu il mio salvatore! Non ho bisogno di salire la torre, ti ho già trovato!», ho urlato questa volta colma di gioia.

«Corri!», ha ripetuto di nuovo. E i suoi occhi sono mutati, diventando famelici e rossi e con la bava alla bocca è scappato via. E io sono rimasta lì, ai piedi della torre con il cuore a pezzi.

22 marzo 2002

I miei sono partiti per una settimana e torneranno domani. Per giorni ho avuto la casa libera e sono stata padrona di entrare e uscire quando mi sarebbe più piaciuto; all'inizio pensavo d'invitare qualcuno a passare la notte con me, magari Daniele che ho sentito un paio di giorni fa, oppure Roberto, o magari osare di chiamare Germano o Letizia, insomma qualcuno che mi facesse compagnia. Invece ho goduto della mia solitudine, sono rimasta sola con me stessa a pensare a tutte le cose belle e a tutte le cose brutte che mi sono capitate in quest'ultimo periodo.

So, diario, di avere fatto male a me stessa, di non avere avuto rispetto di me, della mia persona che io dico di amare tanto. Non sono tanto sicura di amarmi come una volta, una che si ama non lascia violare il suo corpo da qualsiasi uomo, senza uno scopo ben preciso e nemmeno per il gusto di farlo; ti dico questo per svelarti un segreto, un segreto triste che avrei, scioccamente, voluto nasconderti, illudendomi di potere dimenticare. Una sera mentre ero sola ho pensato che avrei dovuto svagarmi e prendere un po' d'aria, così sono andata al pub dove vado sempre e fra un boccale e l'altro di birra ho conosciuto un tizio che mi ha abbordato con modi poco carini e poco garbati. Ero ubriaca, mi girava la testa e gli ho dato corda. Mi ha portata a casa sua e quando ha chiuso la porta alle sue spalle io ho avuto paura, una paura tremenda, che mi ha fatto passare subitaneamente la sbronza. Gli chiedevo di lasciarmi andare, ma lui non l'ha fatto obbligandomi con gli occhi pazzi e piccoli a spogliarmi. Impaurita l'ho fatto e ho fatto tutto quello che mi ha ordinato dopo di fare. Mi sono penetrata con il vibratore che mi ha messo in mano sentendo le pareti della mia vagina bruciare terribilmente e sentendomi strappare la pelle. Ho pianto mentre mi offriva il suo membro piccolo e molle e trattenendomi la testa con una mano non ho potuto evitare di fare ciò che voleva. Non è riuscito a godere, sentivo le mie mandibole doloranti e i denti anche.

Si è buttato sul letto e si è addormentato di colpo. Istintivamente ho guardato il comodino e mi aspettavo di trovare i soldi che a una brava puttana sarebbero dovuti toccare. Sono andata in bagno, mi sono lavata il viso senza degnarmi nemmeno per un misero istante di guardare la mia immagine riflessa: avrei visto il mostro che tutti vogliono che io diventi. E non posso permettermelo, non posso permetterlo a loro. Sono sporca, solo l'Amore, se esiste, potrà ripulirmi.

28 marzo

Ieri ho raccontato a Valerio quello che mi è successo l'altra sera. Mi aspettavo che dicesse «Arrivo subito» per prendermi fra le braccia e cullarmi, sussurrarmi che non avrei dovuto preoccuparmi di niente, ci sarebbe stato lui con me. Niente di tutto questo: mi ha detto con tono di rimprovero, aspro, che sono una stupida, una cogliona, ed è vero che lo sono, cazzo se è vero! Ma basto già io a colpevolizzarmi, non voglio le prediche degli altri, voglio solo che qualcuno mi abbracci e mi faccia stare bene. Stamattina è venuto all'uscita di scuola, non mi sarei mai immaginata una sorpresa simile. È arrivato in moto, capelli al vento e un paio di occhiali da sole che coprivano i suoi splendidi occhi; io chiacchieravo davanti a una panchina su cui erano seduti alcuni miei compagni di scuola. Avevo i capelli in disordine, la cartella pesante sulle spalle e il viso arrossato. Quando l'ho visto arrivare con il suo sorriso sornione e accattivante mi sono subito bloccata, rimanendo un attimo a bocca aperta. Velocemente ho detto «Scusate» ai miei compagni e sono corsa per strada per salutarlo. Mi sono lanciata contro di lui in maniera infantile, spontanea e alquanto eloquente. Mi ha detto che aveva voglia di vedermi, che gli mancavano il mio sorriso e il mio profumo, credeva di essere caduto in una sorta di crisi di astinenza da Lolita.

«Cosa guardano gli omogenizzati?», mi ha chiesto indicando con la testa i ragazzi nella piazzetta.

«Chi?», ho chiesto.

Mi ha spiegato che chiama così i ragazzini, tutti uguali l'uno con l'altro, ognuno membro dello stesso grande, enorme gregge, è un modo per distinguerli dal mondo adulto.

«Be', hai uno strano modo per definirci... comunque guardano la tua moto, guardano il tuo fascino e m'invidiano perché sto parlando con te. Domani mi diranno: ma chi era quel ragazzo con cui parlavi?».

«E tu lo dirai?», ha chiesto sicuro della risposta.

E dato che quella sua sicurezza m'irritava ho detto: «Forse sì, forse no. Dipende da chi me lo chiede e come lo chiede».

Guardavo la sua lingua che inumidiva le labbra, guardavo le sue ciglia lunghe e nere da bambino e il suo naso che sembra la perfetta copia del mio. E guardavo il suo pene che si è ingrossato quando mi sono avvicinata al suo orecchio e gli ho sussurrato: «Voglio essere posseduta, adesso, davanti a tutti».

Mi ha guardata, mi ha sorriso tendendo nervosamente le labbra come per contenere una convulsa eccitazione e ha detto: «Loly, Loly... vuoi farmi impazzire?...».

Ho risposto di sì con un movimento lento del capo e accennando un sorriso.

«Fammi sentire il tuo profumo, Lo».

Gli ho allora offerto il collo candido e lui l'ha annusato riempendosi i polmoni della mia fragranza vanigliata e muschiata, poi ha detto: «Lo, adesso vado».

Non poteva andarsene, questa volta avrei giocato fino alla fine.

«Vuoi sapere che mutande ho oggi?».

Stava per riaccendere il motore ma mi ha guardata stupito e con la mente annebbiata ha risposto di sì.

Ho tirato all'infuori i pantaloni sbottonandoli un po' e si è reso conto che non portavo le mutande. Mi ha guardata cercando una risposta.

«Molte volte esco senza mutande, mi piace», ho risposto, «ricordi che non le avevo nemmeno la sera che l'abbiamo fatto per la prima volta?».

«Tu così mi farai impazzire».

Mi sono avvicinata al suo volto tenendo una distanza

brevissima e perciò assai pericolosa e «Sì», gli ho detto guardandolo dritto negli occhi, «è quello che ho intenzione di fare».

Ci siamo guardati senza dire niente per molti minuti, a volte scuoteva la testa e sorrideva. Mi sono riavvicinata al suo orecchio e gli ho detto: «Stuprami stanotte».

«No, Lo, è pericoloso», ha risposto.

«Stuprami», ho ripetuto maliziosa e imponente.

«Dove, Mel?».

«Nel posto in cui siamo andati la prima volta».

29 marzo
1,30

Sono scesa dalla macchina e ho chiuso lo sportello lasciando lui dentro l'auto. Mi sono incamminata per quelle strade buie e strettissime e lui ha aspettato un po' prima di ripartire per seguirmi. Mi sono ritrovata sola a percorrere quel selciato mal fatto, sentivo il rumore del mare in lontananza, poi più nulla. Guardavo le stelle e mi sembrava di dover cogliere anche il loro suono, impercettibile, esseri che brillano a intermittenza. Poi il motore e i fari della sua auto. Ho mantenuto la calma, volevo che tutto avvenisse come avevo programmato: lui carnefice, io vittima. Vittima nel corpo, umiliata e sottomessa. Ma la mente, la mia e la sua, la comando io, solo io. Io voglio tutto questo, io sono la padrona. Lui è un finto padrone, un padrone mio schiavo, schiavo dei miei voleri e dei miei capricci.

Ha accostato l'auto, ha spento i fari e il motore ed è sceso. Per qualche istante ho pensato di essere rimasta nuovamente sola dal momento che non sentivo niente...

Eccolo, lo sentivo: arrivava a passi lenti e tranquilli ma il suo respiro era veloce e affannato. L'ho sentito dietro di me, mi ha soffiato sul collo. Inaspettatamente ho provato paura. Ha cominciato a inseguirmi con più foga, è corso verso di me e afferrandomi per un braccio mi ha sbattuta contro il muro.

«Le signorine con i bei culetti non girano sole per strada», ha detto cambiando la voce.

Con una mano mi teneva il braccio facendomi male, con l'altra mi spingeva la testa verso il muro premendo con forza il mio viso contro la superficie ruvida e fangosa.

«Stai ferma», mi ha ordinato.

Io aspettavo la mossa successiva, ero eccitata ma anche spaventata e mi chiedevo cosa avrei potuto provare se a violentarmi fosse stato davvero uno sconosciuto e non il mio dolce prof. Poi ho cancellato questo pensiero, ricordandomi di alcune sere fa, e tutte le violenze dell'anima a cui sono stata sottoposta così tante volte... e io volevo ancora violenza, violenza fino a non poterne più. Mi sono abituata, forse non posso più farne a meno; mi sembrerebbe strano se un giorno la dolcezza e la tenerezza venissero a bussare alla mia porta e mi chiedessero di entrare. La violenza mi uccide, mi logora, mi sporca e si nutre di me, ma con e per essa sopravvivo, di lei mi nutro.

Ha usato la mano libera per frugare nella tasca dei pantaloni. Cingeva forte i miei polsi bianchi, mi ha lasciata un momento e ha afferrato con l'altra mano quell'oggetto preso dalla tasca. Era una benda con cui ha fasciato la parte superiore del mio viso coprendomi gli occhi.

«Così sei bellissima», ha detto, «ti sto alzando la gonna bella puttana, non parlare e non gridare».

Sentivo le sue mani entrare dentro le mie mutandine e

le sue dita accarezzare il mio sesso. Poi mi ha dato uno schiaffo violento, mi ha fatto gemere di dolore.

«Eh no... ti avevo detto di non emettere nessun tipo di suono».

«Veramente mi avevi detto di non parlare e non gridare, io ho gemuto», ho sussurrato consapevole che mi avrebbe punita per questo.

Infatti mi ha dato uno schiaffo ancora più violento ma io non ho emesso nessun suono.

«Brava Loly, sei brava».

Si è inchinato, tenendomi sempre ferma con le mani e ha cominciato a baciarmi i glutei su cui aveva scaraventato tanta violenza. Quando ha iniziato a leccarli piano il mio desiderio di essere posseduta è cresciuto, non potevo fermarlo. Così ho inarcato la schiena per fargli afferrare la mia voglia.

Per risposta mi è arrivato un altro schiaffo.

«Quando dico io», ha ordinato.

Potevo solo percepire i suoni e le sue mani sul mio corpo, mi aveva privata della vista e adesso del piacere assoluto.

Mi ha lasciato liberi i polsi e si è poggiato completamente su di me. Con entrambe le mani mi ha afferrato i seni, liberi di qualsiasi costrizione che potesse avvolgerli. Li ha afferrati con forza, facendomi male, li stringeva con le dita che sembravano pinze roventi.

«Piano», ho sussurrato con un filo di voce.

«No, sarà come dico io», ed è partito un altro schiaffo, violentissimo. Mentre arrotolava la gonna fino ai fianchi ha detto: «Avrei voluto resistere ancora, ma non ci riesco. Mi provochi troppo e non posso fare altro che assecondarti».

Con una stecca ta mi ha penetrata a fondo, riempiendomi completamente della sua eccitazione, della sua passione incontrollabile.

Un orgasmo forte, fortissimo, mi ha travolto il corpo, mi sono abbandonata al muro graffiandomi la pelle; lui mi ha trattenuta e sentivo il suo respiro caldo sul collo, il suo affanno mi faceva stare bene.

Siamo rimasti tanto tempo a quel modo, troppo tempo, tempo che non avrei voluto che finisse mai. Ritornare in macchina è stato ritornare alla realtà, fredda e crudele, una realtà che in quello stesso momento mi sono accorta che era inevitavile sfuggire: io e lui, il connubio delle nostre anime doveva finire lì, le circostanze non permetteranno mai a nessuno dei due di essere completamente e spiritualmente l'uno dentro l'altra.

Durante il tragitto, fermi nel traffico che sconvolge Catania la notte, mi ha guardata, ha sorriso e ha detto: «Loly, ti voglio bene», mi ha preso la mano, l'ha portata alla bocca e l'ha baciata. Loly, non Melissa. Lui vuole bene a Loly, di Melissa non ne ha mai sentito parlare.

4 aprile 2002

Diario,

ti scrivo da una camera d'albergo; sono in Spagna, a Barcellona. Sono in gita con la scuola e mi sto divertendo parecchio anche se la prof acida e ottusa mi guarda storto quando dico che non voglio visitare i musei, che secondo me sono una perdita di tempo. Odio visitare un luogo solo per conoscerne la storia, sì, OK, anche quella è importante ma dopo che me ne faccio? Barcellona è così viva, allegra ma con una malinconia di fondo. Sembra una bella donna, affascinante, con occhi profondi e tristi che scavano dentro l'anima. Sembra me. Vorrei poter girare per le strade notturne affollate di locali e gremite di gente di ogni tipo, ma mi obbligano a dover passare le serate in discoteca dove, se va bene, riesco a conoscere qualcuno che non sia ancora fuso d'alcol. Non mi piace ballare, mi infastidisce. Nella mia camera c'è casino: chi salta sul letto, chi scola sangria, chi vomita nel cesso di là; adesso vado, Giorgio mi trascina per un braccio...

7 aprile

Penultima giornata, non voglio ritornare a casa. È questa la mia casa, mi sento a mio agio, sicura, felice, compresa dalla gente di qui sebbene non parliamo la stessa lingua. È confortante non sentire il telefono squillare per una chiamata di Fabrizio o Roberto e dover trovare una scusa per non incontrarsi. È confortante parlare fino a tardi con Giorgio senza dover essere costretta a infilarmi nel suo letto e dare il mio corpo.

Dove sei finita Narcisa che tanto ti amavi e tanto sorridevi, tanto volevi dare e altrettanto ricevere; dove sei finita con i tuoi sogni, con le tue speranze, le tue follie, follie di vita, follie di morte; dove sei finita immagine riflessa allo specchio, dove posso cercarti, dove posso trovarti, come posso trattenerti?

4 maggio 2002

Oggi all'uscita di scuola c'era Letizia. Mi è venuta incontro con il volto rotondo incorniciato dai grandi occhiali da sole, assai simili a quelli che vedo sulle foto di mia madre degli anni Settanta. Con lei c'erano due ragazze, chiaramente lesbiche.

Una si chiama Wendy, ha la mia stessa età ma dai suoi occhi sembra molto più grande. L'altra, Floriana, è appena più piccola di Letizia.

«Avevo voglia di vederti», mi ha detto Letizia mentre mi guardava fissa negli occhi.

«Hai fatto bene a venire; anche io ne avevo voglia», ho risposto.

Nel frattempo la gente usciva dalla scuola e prendeva posto fra le panchine della piazzetta; i ragazzi incuriositi ci guardavano e parlottavano ridendo fra loro, le "comari di sant'Ilario" bigotte, acide e ignoranti come non mai invece ci guardavano storcendo il naso e gli occhi. Mi sembrava di poter cogliere le loro frasi: «Ma hai visto quella con chi va in giro? L'ho sempre detto che era strana...», magari sistemando la treccina che mammina le aveva fatto quella mattina prima di andare a scuola.

Letizia sembrava aver capito il mio disagio così ha detto: «Noi stiamo andando a pranzo all'associazione, vuoi venire anche tu?».

«Che associazione?», ho chiesto.

«...Lesbico-gay. Ho le chiavi, saremo sole».

Ho accettato, così ho preso il mio scooter e Letizia è salita dietro appiccicando il suo seno sulla mia schiena e il suo fiato sul mio collo. Abbiamo riso molto per strada, io sbandavo di continuo perché non sono abituata a portare un altro peso, lei faceva le linguacce alle vecchiette mentre mi cingeva la vita con le braccia.

Sembrava un mondo speciale quello che si è presentato ai miei occhi quando Letizia ha aperto la porta. Non era altro che una casa, una casa che non era proprietà di nessuno ma della intera comunità gay. Era provvista di tutto e anche di più dal momento che sulla libreria assieme ai libri c'era un grande contenitore riempito di preservativi; e sul tavolo riviste gay e riviste di moda, qualcuna di motori, altre di medicina. Un gatto girava per le stanze e si strusciava contro ogni gamba e l'ho accarezzato come accarezzo Morino, il mio amato e bellissimo gatto (che adesso è qui, acciambellato sopra la mia scrivania, lo sento respirare).

Avevamo fame così Letizia e Floriana si sono proposte di andare a comprare le pizze alla gastronomia all'angolo della strada. Mentre stavano per uscire Wendy mi ha guardata con il viso allegro e un sorriso ebete, camminava come se stesse saltando, sembrava una specie di folletto impazzito. Avevo paura di rimanere sola con lei, così sono uscita dalla porta e ho chiamato forte Letizia dicendole che volevo farle io compagnia, mi rompeva rimanere dentro. La mia amica ha subito intuito tutto e con un sorriso ha invitato Floriana a rientrare. Mentre aspettavamo che le pizze si cuocessero abbiamo parlato poco, poi ho detto: «Cazzo, ho le dita gelate!».

Lei mi ha guardata maliziosamente ma anche ironicamente e ha detto: «Mmm... ottima informazione, ne terrò conto!».

Mentre c'incamminavamo sulla strada del ritorno abbiamo incontrato un ragazzo amico di Letizia. Tutto in lui era tenero: il volto, la pelle, la voce. La dolcezza infinita che aveva mi ha messo tanta felicità dentro. È entrato con noi e per un po' siamo rimasti a parlare sul divano mentre le altre preparavano la tavola. Mi ha detto che è un impiegato di banca anche se la sua cravatta decisamente troppo osé sembrava in netto contrasto con il freddo mondo bancario. Sembrava triste dalla voce, ma mi è parso troppo avventato chiedere cosa avesse. Mi sono sentita come lui. Poi Gianfranco se n'è andato e siamo rimaste noi quattro attorno al tavolo a chiacchierare e a ridere. O meglio, chiacchieravo solo io, senza fermarmi mentre Letizia mi guardava attenta e a volte sconcertata quando parlavo di qualche uomo con cui ero stata a letto.

Dopo mi sono alzata e sono andata nel giardino, ordinato ma non propriamente curato, dove erano piantati palme alte e strani alberi dal busto spinoso e dai fiori grandi e rosa sulla chioma. Letizia mi ha raggiunta e mi ha abbracciata da dietro mentre con le labbra mi sfiorava il collo con un bacio.

Mi sono girata istintivamente e ho incontrato la sua bocca: calda, morbida, estremamente soffice. Adesso capisco perché gli uomini amano tanto baciare una donna: la bocca di una donna è talmente innocente, pura, mentre gli uomini che ho incontrato io mi hanno sempre lasciata con una scia viscida di saliva, riempendomi volgarmente con la lingua. Il bacio di Letizia era diverso, era vellutato, fresco ma intenso allo stesso tempo.

«Sei la donna più bella che abbia mai avuto», mi ha detto trattenendomi per il volto.

«Anche tu», ho risposto, e non so perché l'abbia fatto, era superfluo dirlo dal momento che lei è stata la mia unica donna!

Letizia ha preso il mio posto e questa volta ero io a dirigere il gioco, strofinando il mio corpo al suo. L'ho abbracciata forte respirando il suo profumo, poi mi ha condotta nell'altra stanza, mi ha abbassato i pantaloni e ha finito la dolce tortura che aveva cominciato qualche settimana fa. La sua lingua mi scioglieva, ma il pensiero di provare un orgasmo nella bocca di una donna mi faceva rabbrividire. Mentre la sua lingua mi leccava, mentre lei era in ginocchio sotto di me, protesa al mio piacere, ho chiuso gli occhi e con le mani ripiegate come le zampette di un coniglio impaurito, mi è venuto in mente l'omino invisibile che faceva l'amore con me nelle fantasie da bambina. L'omino invisibile non ha volto, non ha colori, è solo un sesso e una lingua che uso a mio godimento. È stato lì che il mio orgasmo è arrivato forte e ansimante, la sua bocca era piena dei miei umori e quando ho aperto gli occhi ho visto lei, meravigliosa sorpresa, con una mano dentro gli slip che si contorceva per il piacere che anche per lei arrivava, forse più cosciente e sincero di quanto non lo sia stato il mio.

Dopo ci siamo sdraiate sul divano e per un po' credo di avere dormito. Quando il sole era ormai sceso e il cielo inscurito mi ha accompagnata alla porta e le ho detto: «Lety, sarà meglio non vederci più».

Ha annuito con la testa, ha sorriso lievemente e ha detto: «Lo penso anch'io».

Ci siamo scambiate un ultimo bacio. Mentre tornavo a casa in motorino mi sono sentita usata per l'ennesima volta, usata da qualcuno e dai miei cattivi istinti.

18 maggio 2002

Mi sembra di sentire la voce calda e rassicurante di mia madre che mi raccontava ieri mentre ero a letto con l'influenza questa storia:

«Una cosa difficile e non desiderata può rivelarsi un grande dono; sai, Melissa, spesso riceviamo regali a nostra insaputa. Questo racconto narra la storia di un giovane sovrano che assunse il governo di un regno; egli era amato già prima di diventare re e i sudditi, felici per la sua incoronazione, gli portarono numerosi doni. Dopo la cerimonia il nuovo re stava cenando nel suo palazzo; all'improvviso si sentì bussare alla porta. I servi uscirono e trovarono un vecchio miseramente vestito, dall'aspetto di un mendicante, che voleva vedere il sovrano. Fecero il possibile per dissuaderlo, ma inutilmente. Allora il re uscì per incontrarlo; il vecchio lo coprì di lodi, dicendogli che era bellissimo e che tutti nel regno erano felici di averlo come sovrano. Gli aveva portato in dono un melone, il re detestava i meloni ma, per essere gentile con il vecchio, lo accettò e lo ringraziò e l'uomo si allontanò contento. Il re rientrò nel palazzo e consegnò il frutto ai servi perché lo gettassero in giardino.

La settimana successiva alla stessa ora bussarono ancora alla porta. Il re venne di nuovo chiamato e il mendicante lo encomiò e gli offrì un altro melone. Il re lo accettò e salutò il vecchio e, nuovamente, gettò il melone in giardino. La scena si ripeté per diverse settimane: il re era troppo gentile per affrontare il vecchio o disprezzare la generosità del suo dono.

Poi, una sera, proprio quando il vecchio stava per consegnare il melone al re, una scimmia saltò giù da un portico del palazzo e fece cadere il frutto dalle sue mani; il melone si spaccò in mille pezzi contro la facciata del palazzo. Quando il re guardò, vide una pioggia di diamanti cadere dal cuore del melone. Ansiosamente, corse nel giardino sul retro: tutti i meloni si erano sciolti intorno a una collinetta di gioielli».

L'ho fermata e ho detto: «Posso evincere io la morale?», esaltata dalla bella storia.

Mi ha sorriso e ha detto: «Certo».

Ho respirato così come respiro ogni volta che mi preparo per ripetere la lezione a scuola: «Talvolta le situazioni scomode, i problemi o le difficoltà nascondono opportunità di crescita: molto spesso nel cuore delle difficoltà brilla la luce di un prezioso gioiello. È perciò saggio accogliere ciò che è scomodo e difficile».

Ha sorriso di nuovo, mi ha accarezzato i capelli e ha detto: «Sei cresciuta, piccola. Sei una principessa».

Volevo piangere ma mi sono trattenuta, mia madre non sa che i diamanti del re sono stati per me le crude bestialità di uomini rozzi e incapaci di amare.

20 maggio

Oggi il prof mi è venuto a trovare nuovamente fuori da scuola. Io lo aspettavo, gli ho dato una lettera allegata a un paio di mutandine particolari.

Queste mutande sono io. Sono la cosa che mi ha meglio descritto. Di chi potrebbero essere così disegnate e strane con quei due laccetti pendenti se non di una piccola Lolita?

Ma oltre che appartenermi sono me e il mio corpo.

Mi è capitato molte volte di fare l'amore indossandole, forse con te mai, ma non importa... Quei laccetti ostacolano i miei istinti e i miei sensi, sono dei legacci che oltre a lasciare il segno sulla pelle bloccano i miei sentimenti... Immagina il mio corpo seminudo che indossa solo questi slip: slacciato un nodo, si libererà come spirito solo una parte di me, la Sensualità. Lo spirito d'Amore è ancora ostacolato dal nodo posto sul fianco sinistro. Ecco allora che colui che ha slacciato la parte della Sensualità vedrà in me solamen-

te la donna, la bambina, o genericamente la femmina, in grado solo di ricevere sesso, niente di più. Mi possiede soltanto per metà ed è probabilmente quello che voglio nella maggior parte dei casi. Quando poi qualcuno slaccerà solo la parte dell'Amore anche in quel caso darò unicamente una parte di me, una parte minima sebbene profonda. Poi nella vita, un giorno qualsiasi magari arriva quel carceriere che ti offre entrambe le chiavi per liberare i tuoi spiriti: Sensualità e Amore sono liberi e volano. Ti senti bene, libera e appagata e la tua mente e il tuo corpo non chiedono più niente, non ti tormentano più con le loro richieste. Come un tenero segreto vengono liberati da una mano che sa come accarezzarti, che ti sa fare vibrare, e il solo pensiero di quella mano ti riempie di calore il corpo e la mente.

Adesso odora quella parte di me che sta esattamente al centro fra Amore e Sensualità: è la mia Anima che esce e filtra attraverso i miei umori.

Avevi ragione quando mi dicevi che sono nata per scopare, come vedi anche la mia Anima ha voglia di sentirsi desiderata ed emana il suo odore, l'odore di femmina. Forse la mano che ha liberato i miei spiriti è la tua prof.

E mi azzardo a dire che solo il tuo olfatto è stato in grado di cogliere i miei umori, la mia Anima. Non mi sgridare per questo prof, se mi sono sbilanciata, sento che devo farlo perché almeno in futuro non avrò il rimorso di aver perso qualcosa prima di averla afferrata. Questa cosa cigola dentro di me come una porta non ben oliata, il suo rumore è assordante. Stando con te, fra le tue braccia, io e le mie mutande siamo prive di qualsiasi impedimento e catene. Ma gli spiriti nel loro volo hanno trovato un muro: l'orrendo e ingiusto muro del tempo che passa lento per l'uno, veloce per l'altra, una serie di cifre che ci tengono a distan-

za; spero che la tua intelligenza matematica possa offrirti qualche spunto per risolvere la tremenda equazione. Ma non è soltanto questo: tu conosci solo una parte di me, sebbene ne abbia liberate due. E non è quella la parte che vorrei lasciare vivere, non solo. Sta a te decidere se dare una svolta al nostro rapporto, farlo diventare più... "spirituale", un tantino più profondo. Confido in te.

Tua,
Melissa

23 maggio
15,14

Dov'è Valerio? Perché mi ha lasciata senza nemmeno un bacio?

29 maggio 2002
2,30

Piango, diario, piango di gioia immensa. L'ho sempre saputo che esistevano la gioia e la felicità. Qualcosa che ho ricercato in tanti letti, in tanti uomini, anche in una donna, che ho ricercato in me stessa e che dopo ho perso per colpa mia. E nel luogo più anonimo e banale l'ho trovato. E non in una persona, ma nello sguardo di una persona. Io, Giorgio e altri siamo andati al nuovo locale che è stato appena aperto proprio sotto casa mia, a 50 m dal mare. È un locale arabo, ci sono danzatrici del ventre attorno ai tavoli che ballano o servono le ordinazioni, e poi i cuscini a terra, i tappeti, la luce delle candele e il profumo d'incenso. Era strapieno, così abbiamo deciso di aspettare che qualche tavolo si liberasse per poter prendere posto. Ero poggiata a un lampione, pensavo alla telefonata di Fabrizio finita male; gli ho detto che non volevo niente da lui, che non volevo più rivederlo.

Si è messo a piangere e ha detto che mi avrebbe dato tutto, specificando però che cosa: soldi, soldi e soldi.

«Se è questo quello che vuoi dare a un essere umano, non sono proprio io a doverlo ricevere. Ti ringrazio per l'offerta comunque», ho esclamato ironicamente, poi gli ho sbattuto il telefono in faccia e non ho preso nessuna delle sue chiamate e non le prenderò mai più, giuro. Odio quell'uomo: è verme, è sudicio, non voglio più concedermi a lui.

Pensavo a tutto questo e a Valerio, avevo le sopracciglia aggrottate e gli occhi fissi in un punto non identificabile; poi, distogliendomi dai pensieri fastidiosi, ho incrociato il suo sguardo che mi osservava da chissà quanto tempo, era leggero e dolce. Lo guardavo e mi guardava a intervalli di tempo assai brevi, distoglievamo lo sguardo senza poter fare a meno di ripiombarci gli occhi addosso nuovamente. I suoi occhi erano profondi e sinceri, e questa volta non mi sono illusa creando assurde fantasie per farmi male e punirmi, questa volta c'ho creduto realmente, li vedevo i suoi occhi, erano lì, mi fissavano e sembravano dirmi di volermi amare, di volermi conoscere davvero. A poco a poco ho cominciato a osservarlo meglio: era seduto a gambe incrociate, una sigaretta fra le mani, due labbra carnose, un naso un po' pronunciato ma importante e gli occhi da principe arabo. Quello che mi stava offrendo era qualcosa di mio, solo mio. Non guardava nessun'altra, guardava me e non come qualsiasi uomo tende a osservarmi per strada ma con sincerità e onestà. Non so per quale oscuro motivo ma mi è scappata una risata troppo forte, non potevo contenermi; la felicità era talmente grande da non limitarsi a un sorriso. Giorgio mi guardava divertito, mi chiedeva cosa avessi. Con un gesto della mano gli ho detto di non preoccuparsi e mi sono abbracciata a lui così da poter giustificare quella mia improvvisa esplosione. Mi sono voltata nuovamente e ho notato che mi stava sorridendo e mi stava offrendo la vista dei suoi splendidi denti bianchi; è stato lì che mi sono calmata e mi sono detta: «Mi raccomando Melissa, fallo scappare, eh? Fagli vedere che sei una stupida, una deficiente e un'ignorante... e soprattutto dagliela subito, non farlo aspettare!».

Mentre pensavo questo una ragazza gli è passata accanto e gli ha accarezzato i capelli; lui l'ha guardata per un misero istante e poi si è spostato un po' per riuscire a vedermi meglio.

Giorgio mi ha distratta: «Meli, andiamo da un'altra parte. Io ho le rane allo stomaco, non mi va di aspettare ancora».

«Eddai, Giorgino, altri dieci minuti, dai, vedrai che si libera...», gli ho risposto perché non volevo staccarmi da quello sguardo.

«Che è tutta 'sta voglia di rimanere qui? Qualche maschio fra i piedi?».

Ho sorriso un po' e ho annuito.

Lui ha sospirato e ha detto: «Abbiamo parlato a lungo di questa cosa. Melissa, vivi tranquilla per un po' di tempo, le cose belle arriveranno da sole».

«Questa volta è diverso. Dai...», gli dicevo come una piccola bambina viziata.

Ha sospirato ancora e ha detto che loro giravano per i

locali vicini, se c'era posto negli altri non si discuteva, avrei dovuto seguirli.

«OK!», ho detto sicura che a quell'ora i posti col cavolo che li avrebbero trovati. Li ho visti entrare nella gelateria con gli ombrelloni giapponesi sopra ogni tavolo e mi sono riappoggiata al lampione, cercando il più possibile di non guardarlo. A un tratto l'ho visto alzarsi e penso di essere sicuramente diventata viola in viso, non sapevo che fare, ero in assoluto imbarazzo; così mi sono voltata verso la strada e ho fatto finta di dover aspettare qualcuno osservando tutte le macchine che arrivavano; e i miei pantaloni in seta indiana svolazzavano accompagnati dal leggero vento del mare.

La sua voce calda, profonda, l'ho sentita alle mie spalle e ha detto: «Cosa aspetti?».

Improvvisamente ho pensato a una vecchia cantilena che ho letto da piccola in una favola che mio padre mi portò da uno dei suoi viaggi. In maniera spontanea e inattesa l'ho pronunciata girandomi verso di lui: «Aspetto, aspetto, nella buia notte, e apro l'uscio se qualcuno batte. Dopo la cattiva viene la buona sorte, e vien colui che non sa l'arte».

Siamo rimasti in silenzio, con l'espressione dei visi seria; poi siamo scoppiati a ridere. Mi ha porto la morbida mano e gliel'ho stretta piano ma con determinazione.

«Claudio», ha detto continuando a guardarmi negli occhi.

«Melissa», sono riuscita non so come a dire.

«Cos'era quella cosa che hai detto prima?».

«Cosa...? ...ah, sì, prima! È la cantilena di una favola, la conosco a memoria da quando avevo sette anni».

Ha mosso la testa come per dire di aver capito. Ancora silenzio, un silenzio da panico. Un silenzio interrotto dal mio simpatico e maldestro amico che arrivava di corsa dicendo: «Scemotta, abbiamo trovato il posto, vieni, ti stiamo aspettando».

«Devo andare», ho sussurrato.

«...Posso bussare al tuo uscio?», ha detto anche lui piano.

L'ho guardato stupita di tanta audacia che non era presunzione, solo volontà che tutto non finisse lì.

Ho annuito con gli occhi un po' bagnati e ho detto: «Mi trovi spesso da queste parti, sto proprio qua sopra», indicandogli il mio balcone.

«Allora ti dedicherò una serenata», ha scherzato strizzando l'occhio.

Ci siamo salutati e io non mi sono voltata per guardarlo ancora una volta anche se avrei voluto, avevo paura di sciupare tutto.

Poi Giorgio mi ha chiesto: «Ma chi era quello?».

Ho sorriso e ho detto: «È colui che vien e non sa l'arte».

«Ehhh?», ha esclamato.

Ho sorriso ancora, gli ho pizzicato le guance e ho detto: «Lo scoprirai presto, tranquillo».

4 giugno 2002
18,20

Nessuno scherzo, diario! Mi ha dedicato davvero una serenata! La gente passava e guardava incuriosita, io dal balcone ridevo come una matta mentre un uomo grassoccio e rubicondo suonava con una chitarra un po' logora e lui cantava stonato come una campana, ma irresistibile. Irresistibile come la canzone che mi ha riempito gli occhi e il cuore; è la storia di un uomo che al pensiero dell'amata non riesce a dormire e la melodia è struggente e delicata. Più o meno dice così:

Mi votu e mi rivotu suspirannu
passu li notti 'nteri senza sonnu,
e li biddizzi tò vaju cuntimplannu
ti penzu di la notti fino a jornu.
Pi tia non pozzu n'ura ripusari,
paci non havi chiù st'afflittu cori.
Lu vò sapiri quannu t'aju a lassari?
Quannu la vita mia finisci e mori.

Lo vuoi sapere quando ti devo lasciare? Quando la mia vita finisce e muore...

È stato un grande gesto, un sottile corteggiamento, tradizionale, banale se vogliamo ma profumato.

Quando ha finito ho urlato dal balcone sorridendo: «E adesso cosa si dovrebbe fare? Se non sbaglio, per accettare la corte bisognerebbe accendere la luce della camera e se al contrario non voglio devo rientrare e spegnere».

Lui non ha risposto ma io ho capito quello che avrei dovuto fare. Nel corridoio ho incrociato mio padre (quasi lo travolgevo!) che mi chiedeva incuriosito chi fosse quello che sotto cantava. Ridendo forte gli ho risposto che non lo sapevo nemmeno io.

Sono scesa di corsa giù per le scale, così come mi trovavo, in pantaloncini e maglietta, ho aperto il portone e poi mi sono bloccata. Corrergli incontro e abbracciarlo forte oppure sorridergli felice e ringraziarlo con una stretta di mano? Sono rimasta ferma sul portone e lui ha capito che non mi sarei mai avvicinata se non avessi notato un segnale, così l'ha fatto lui per me.

«Sembri un pulcino spaurito... Scusami se sono stato invadente, ma è stato più forte di me».

Mi ha abbracciata piano e io ho lasciato che le mie braccia rimanessero al suo posto, non sono riuscita a imitare il suo gesto...

«Melissa... Mi permetti di invitarti stasera a cena?».

Ho annuito di sì con la testa e gli ho sorriso, poi l'ho baciato piano sulla guancia e sono risalita.

«Ma chi era?», mi ha chiesto mia madre curiosissima.

Ho alzato le spalle: «Nessuno mamma, nessuno...».

12,45 della notte

Abbiamo parlato di noi, ci siamo detti più di quello che avevo immaginato di dire e di sentire. Lui ha vent'anni, studia lettere moderne, ha quell'espressione intelligente e viva nel volto che lo rende incredibilmente affascinante. Lo ascoltavo con attenzione, mi piace guardarlo parlare. Sento un fremito nella gola, nello stomaco. Mi sento ripiegata su me stessa come lo stelo di un fiore, ma non sono spezzata. Claudio è mite, pacato, rassicurante. Mi ha detto che ha conosciuto l'amore, ma che poi gli è sfuggito dalle mani.

Passando un dito sul bordo del bicchiere mi ha chiesto: «E tu? Cosa mi racconti di te?».

Mi sono aperta, ho aperto un piccolo spiraglio di luce che ha squarciato la densa nebbia che mi avvolge l'anima. Gli ho raccontato qualcosa di me e delle mie storie infelici ma non ho accennato minimamente al mio desiderio di scoprire e trovare un sentimento vero.

Mi ha guardata con occhi attenti, tristi e seri e ha detto: «Sono contento che tu mi abbia raccontato il tuo passato. Mi rafforza l'idea che mi sono fatto di te».

«Che idea?», ho chiesto impaurita che mi accusasse di essere troppo facile.

«Che sei una ragazza, scusa, una donna, che ha attraversato certe situazioni per arrivare ad essere quello che è, ad assumere quello sguardo e farlo penetrare in fondo. Melissa, non ho mai incontrato una donna come te... passo da sentire tenerezza affettuosa a subire un fascino misterioso e irresistibile», il suo discorso era intervallato da lunghi silenzi durante i quali mi offriva i suoi occhi e poi riprendeva.

Ho sorriso e ho detto: «Non mi conosci ancora bene per dirlo. Potrai provare solo uno di quei sentimenti che hai detto, oppure nessuno».

«Già, è vero», ha detto dopo avermi ascoltata con attenzione, «ma voglio provare a conoscerti, me lo permetti?».

«Certo, certo che te lo permetto!», gli ho detto afferrandogli la mano poggiata sopra il tavolo.

Mi sembrava di stare in un sogno, diario, un sogno bellissimo, senza fine.

1,20

Ho appena ricevuto un messaggio di Valerio, dice che vuole vedermi. Ma adesso anche il suo pensiero è distante. Lo so, mi basterebbe fare l'amore un'ultima volta con il prof per rendermi conto cos'è davvero che voglio e che cosa Melissa è davvero, se un mostro o una persona in grado di dare e ricevere amore.

10 giugno 2002

Che bello, è finita la scuola! Quest'anno i risultati sono stati alquanto deludenti, io mi sono impegnata poco e i miei insegnanti si sono preoccupati poco di capirmi. La promozione me la sono comunque meritata, hanno evitato di distruggermi definitivamente.

Oggi pomeriggio ho visto Valerio, mi ha chiesto di raggiungerlo al Bar Epoca. Sono partita di corsa, pensando che quella sarebbe stata l'occasione in cui avrei capito cosa volevo. Arrivata al posto ho frenato di botto, strisciando i copertoni sull'asfalto, ho attirato l'attenzione di tutti. Valerio era seduto a un tavolo da solo e guardava sorridendo e scuotendo la testa tutti i miei movimenti. Ho cercato di darmi un contegno camminando piano e assumendo un'espressione seria.

Mi sono indirizzata sculettando al suo tavolo e quando gli sono stata vicino mi ha detto: «Loly, non hai visto come ti hanno guardata tutti mentre camminavi?».

Ho scosso la testa e ho risposto di no.

«Non ricambio sempre gli sguardi».

È arrivato un uomo alle spalle di Valerio, dall'aria misteriosa e un po' burbera, e mi è stato presentato dicendo che si chiamava Flavio. L'ho guardato scrutandolo attentamente, lui ha bloccato la mia indagine dicendo: «La tua ragazzina ha degli occhi troppo furbetti e troppo belli per una della sua età».

Non ho lasciato rispondere Valerio e ho preso io la parola: «Hai ragione Flavio. Saremo noi tre o ci saranno anche altri?», miro all'essenzialità, diario, non mi vanno le paroline di circostanza e i sorrisi quando lo scopo è solo uno.

Un po' imbarazzato Flavio ha guardato Valerio e lui ha

detto: «È capricciosa, ma ti conviene fare quello che dice».

«Vedi Melissa», ha continuato Flavio, «io e Valerio avevamo intenzione d'inserirti in una serata particolare; lui mi ha parlato di te, la tua età mi ha bloccato un po' ma dopo aver saputo come sei... be', ho ceduto e sono curiosissimo di vederti all'opera».

Io ho detto semplicemente: «Quanti anni hai Flavio?».

Mi ha risposto di averne trentacinque. Ho annuito, credevo ne avesse di più ma mi sono fidata.

«Quando sarebbe questa seratina particolare?», ho chiesto.

«Sabato prossimo, alle 22, in una villa al mare. Verrò a prenderti io, insieme a Valerio s'intende...».

«Qualora rispondessi di sì», l'ho interrotto.

«Certo, qualora rispondessi di sì».

Qualche secondo di silenzio e poi ho chiesto: «Devo indossare qualcosa di particolare?».

«Basta che non si noti troppo la tua età. Tutti sanno che ne hai diciotto», ha risposto Flavio.

«Tutti chi? Quanti sono?», ho chiesto rivolta a Valerio

«Non sappiamo nemmeno noi il numero preciso, più o meno cinque coppie garantite. Se arriverà altra gente non lo sappiamo adesso»

Ho deciso di partecipare; mi dispiace per Claudio, ma non sono sicura che una come me possa essere brava ad amarlo, non credo di essere io quella che lo renderà felice.

15 giugno 2002

No, non sono io la ragazza che lo renderà felice. Non lo merito. Il mio telefono continua a squillare per le sue chiamate e per i suoi SMS. Lo abbandono, ecco. Non gli rispondo, lo ignoro completamente. Si stuferà e cercherà la felicità altrove. E allora perché sento questa paura?

17 giugno 2002

In silenzio, fra dialoghi brevi e sporadici ci siamo avviati verso il luogo in cui è stato fissato l'appuntamento. Era un villino fuori città, dall'altra parte della costa dove gli scogli si sgretolano diventando sabbia. Il luogo era deserto e la casa piuttosto interna. Siamo entrati attraverso un alto portone in ferro e ho contato le auto ferme sul vialetto: ce n'erano sei.

«Dolcissima, siamo arrivati», Flavio con queste espressioni m'irrita da morire... chi cavolo lo conosce? Come si permette a chiamarmi dolcissima, cara, piccola... lo strozzerei!

Ci ha aperto la porta una donna di più o meno quarant'anni, affascinante e profumata. Mi ha squadrata dall'alto in basso e ha rivolto uno sguardo di assenso a Flavio che ha sorriso lievemente. Abbiamo attraversato un lungo corridoio sulle cui pareti erano attaccati dei grandi quadri astratti. Arrivati nella sala ho sentito un profondo imbarazzo poiché mi sono stati rivolti decine di sguardi: la maggioranza erano uomini, incravattati e distinti, qualcuno aveva una mascherina che gli copriva il volto, ma la maggior parte erano a viso scoperto. Alcune donne si sono avvicinate e mi hanno rivolto delle domande alle quali ho risposto con una serie di bugie costruite precedentemente con Valerio. Il prof mi è venuto accanto e mi ha sussurrato: «Non vedo l'ora di iniziare... voglio leccarti e starti dentro tutta la notte e poi guardarti mentre lo fai con altri».

Ho subito pensato al sorriso di Claudio: lui non potrebbe mai desiderare di vedermi a letto con qualcun altro.

Flavio mi ha portato un bicchiere con dentro della crema di whisky, che mi ha fatto ricordare di qualche mese fa... Sono andata al pianoforte a pensare al modo in cui ho scaricato giorni fa anche Roberto. L'ho minacciato che avrei raccontato tutto alla sua ragazza se non avesse smesso di chiamarmi e che doveva dire ai suoi amici di tenere la bocca chiusa su di me. Ha funzionato, non si è fatto più sentire!

A un certo punto è venuto verso di me un uomo sulla trentina che camminava con andatura leggera, come se volasse; aveva un paio di occhiali tondi e due grandi occhi azzurro-verde su un viso marcato ma bello.

Mi ha guardata scrutandomi attentamente e poi ha detto: «Ciao, sei tu quella di cui si è tanto parlato?».

L'ho guardato interrogativa e ho detto: «Dipende da chi ti riferisci... di cosa si è parlato in particolare?».

«Be'... sappiamo che sei molto giovane, anche se personalmente non credo che tu abbia già diciotto anni. E non perché non li dimostri ma perché lo sento... Comunque mi hanno detto che tu molte volte hai partecipato a serate come questa, con soli uomini però...».

Sono arrossita e ho voluto sprofondare: «Chi te l'ha detto?», ho chiesto.

«Bah... che importanza ha, le voci girano... sei una bella maialina, eh?», ha sorriso.

Ho cercato di mantenermi calma e di stare al gioco per non rovinare tutto.

«Non mi sono mai piaciuti gli schemi. Ho accettato di farlo perché volevo...».

Mi ha guardata sapendo benissimo che stavo mentendo e ha affermato: «Sempre che esistano, gli schemi: ci sono persone il cui schema è lineare e ordinato, altre che è un capriccio rococò...».

«Allora il mio è un misto...», ho detto affascinata dalla sua risposta.

Valerio mi si è avvicinato e mi ha detto di raggiungerlo sul divano.

Ho fatto un cenno col capo all'uomo, evitando di salutarlo perché tanto quasi sicuramente nel mezzo della serata saremmo capitati uno dentro l'altra.

Sul divano erano seduti un giovane uomo palestrato e due donne abbastanza volgari, con il trucco acceso e prorompente e una chioma biondo platino.

Io e il prof stavamo al centro di questo grande divano, con una mano lui ha cominciato ad accarezzarmi un seno da sotto la maglietta trascinandomi subito nella vergogna e nell'imbarazzo.

«Dai, Valerio... dobbiamo essere proprio noi a cominciare?».

«E perché no, ti dispiace?», mi ha chiesto mordendomi il lobo dell'orecchio.

«No, non penso proprio... ha la voglia stampata sulla faccia», ha detto presuntuosamente il palestrato.

«Da che cosa lo vedi?», ho chiesto con aria di sfida.

Non ha risposto, ha solo fiondato una mano sotto la mia gonna tra le cosce baciandomi con irruenza. Cominciavo a lasciarmi andare, quella stolta violenza mi stava trascinando via di nuovo. Ho alzato un po' le natiche per arrivare a baciarlo e il prof ha approfittato di questo, mi ha accarezzato il culo prima piano e dolcemente, poi i suoi gesti sono andati via via trasformandosi diventando decisi e caldi. La gente intorno per me non esisteva più, anche se erano lì a guardarmi, ad attendere che qualcuno dei due uomini che stavano ai miei lati mi penetrasse. Mentre il ragazzo mi baciava, una delle due donne gli ha cinto il busto e ha baciato la sua nuca; a un certo punto Valerio mi ha alzato la gonna: tutti stavano ammirando il mio culo e il mio sesso spiattellati su un divano sconosciuto fra gente sconosciuta. Avevo la schiena inarcata e mi stavo offrendo completamente a lui mentre il tizio davanti mi afferrava le tette e le stringeva forte.

«Mmm, profumi come una giovane pesca», ha detto un uomo venuto ad annusarmi, «sei morbida e liscia come una pesca appena lavata, fresca».

La giovane pesca maturerà; e poi prima perderà il suo colore, quindi il suo sapore, dopo la sua buccia sarà molle e scavata. Alla fine marcirà e i vermi ne succhieranno tutta la polpa.

Ho sgranato gli occhi, mi si è arrossato il viso, mi sono girata di scatto verso il professore e ho detto: «Andiamo via, non voglio».

È successo proprio nel momento in cui il mio corpo si stava completamente abbandonando... Povero Flavio, povero palestrato, poveri tutti e povera io. Ho lasciato tutti e me stessa di sasso, mi sono ricomposta in fretta e con le lacrime agli occhi sono corsa via per il lungo corridoio, ho aperto la porta d'ingresso e sono andata verso l'auto ferma sulla stradina. Aveva i vetri completamente appannati per colpa dell'umidità fitta che avvolgeva la casa e me.

Durante il tragitto non c'è stata una parola. Solo quando sono arrivata sotto il portone di casa ho detto: «Non mi hai ancora detto niente sulla lettera».

Molti secondi di silenzio e poi solo: «Addio Lolita».

20 giugno
6,50

Ho poggiato le labbra sulla cornetta e ho sentito la sua voce appena uscita dal sonno. «Voglio viverti», ho sussurrato con un filo di voce.

24 giugno

Adesso è notte, caro diario, e sono nel terrazzo fuori casa a osservare il mare.

È così calmo, quieto, dolce; il caldo tiepido attenua le onde e sento in lontananza il loro rumore, pacifico e delicato... La luna è un po' nascosta e sembra osservarmi con sguardo compassionevole e indulgente.

Le chiedo cosa posso fare.

Lei mi dice che è difficile togliere le incrostazioni dal cuore.

Il mio cuore... non ricordavo di averne uno. Forse non l'ho mai saputo.

Una scena commovente al cinema non mi ha mai commosso, una canzone intensa non mi ha mai emozionato e nell'amore ho sempre creduto a metà, considerando che fosse impossibile conoscerlo davvero. Non sono mai stata cinica, no. Semplicemente mai nessuno mi ha insegnato a far venir fuori l'amore che tenevo dentro nascosto, celato a tutti. Era da qualche parte, bisognava scovarlo... E io l'ho cercato proiettando il mio desiderio in un universo in cui l'amore è bandito; e nessuno, dico nessuno, mi ha bloccato il passaggio dicendo: «No piccola, da qui non si passa».

Il mio cuore è stato rinchiuso in una cella gelata ed era pericoloso distruggerla con un colpo deciso: il cuore ne sarebbe rimasto intaccato per sempre.

Ma poi arriva il sole, non questo sole siciliano che brucia, che sputa fuoco, che appicca incendi, ma un sole mite, discreto, generoso, che scioglie il gelo piano, evitando così di inondare di colpo la mia anima arida.

All'inizio mi è sembrato doveroso chiedergli quando avremmo fatto l'amore ma poi, nel momento in cui stavo per farlo, mi sono morsa le labbra. Lui ha capito che avevo qualcosa che non andava e mi ha chiesto: «Che c'è Melissa?», mi chiama per nome, per lui sono Melissa, sono la persona, l'essenza, non l'oggetto e il corpo.

Ho scosso la testa: «Niente, Claudio, davvero».

Allora mi ha preso una mano e l'ha poggiata sul suo petto.

Ho preso fiato e ho balbettato: «...Mi chiedevo quando avresti voluto fare l'amore...».

Lui è rimasto in silenzio e io ero morta di vergogna, ho sentito le guance infuocarsi.

«No Melissa, no tesoro... Non devo essere io a decidere quando faremo l'amore, lo decideremo insieme se e quando. Ma saremo tu e io, insieme», ha sorriso.

Lo guardavo stupefatta e lui ha capito che il mio sguardo smarrito gli chiedeva di continuare.

«Perché vedi... quando due persone si congiungono è il culmine della spiritualità, e questo si può raggiungere solo se si amano. È come se un vortice avvolgesse i corpi e allora nessuno rimane più se stesso, ma uno è dentro l'altro nel modo più intimo, più interiore, più bello».

Ancora più stupita gli ho chiesto cosa volesse dire.

«Ti voglio bene Melissa», ha risposto.

Perché quest'uomo conosce così bene ciò che a me fino a pochi giorni fa sembrava impossibile trovare? Perché la vita fino a ora mi ha riservato malvagità, sporcizia, brutalità? Quest'essere straordinario può tendermi la mano e sollevarmi dalla buca stretta e fetida nella quale mi sono accucciata impaurita... Luna, secondo te lo può fare?

Le incrostazioni sono dure a togliersi dal cuore. Ma forse il cuore può pulsare così tanto da rompere in mille pezzi la corazza che lo circonda.

30 giugno

Sento caviglie e polsi legati a una corda invisibile. Io sono sospesa per aria e qualcuno dal basso tira e urla con voce infernale, qualcun altro tira dall'alto. Io sobbalzo e piango, a volte tocco le nuvole, altre volte i vermi. Ripeto a me stessa il nome: Melissa, Melissa, Melissa... come una parola magica che può salvarmi. Mi aggrappo a me stessa, sono avvinghiata a me.

7 luglio

Ho ridipinto le pareti della mia camera. Adesso è azzurrina e sopra la mia scrivania non c'è più lo sguardo languido di Marlene Dietrich ma una mia foto con i capelli al vento mentre osservo tranquilla le barche calcaree nel porto; dietro di me c'è Claudio che mi cinge la vita poggiando delicatamente le mani sulla mia camicetta bianca e abbassa il suo viso contro la mia spalla baciandola. Lui non sembra notare le barche, sembra proprio che sia perso nella contemplazione di noi.

Una volta scattata la foto mi ha sussurrato all'orecchio: «Melissa, ti amo».

Allora ho poggiato una guancia alla sua, ho respirato forte per assaporare il momento e mi sono voltata. Ho preso il suo viso fra le mani, l'ho baciato con una delicatezza prima di allora sconosciuta e ho sussurrato: «Ti amo anch'io, Claudio...».

Un brivido e un calore febbrile mi hanno percorso il corpo finché mi sono abbandonata fra le sue braccia e lui mi ha stretta più forte baciandomi con una passione che non era voglia di sesso, ma di altro, di amore.

Ho pianto tanto, come non avevo mai fatto davanti a qualcuno.

«Aiutami amore mio, ti prego», ho implorato forte.

«Sono qui per te, sono qui per te...», ha detto mentre mi stringeva come nessun uomo mi ha mai stretta.

13 luglio

Abbiamo dormito in spiaggia abbracciati l'uno all'altra. Ci siamo riscaldati con le nostre braccia e la sua nobiltà d'animo e il suo rispetto mi fanno tremare d'invidia. Riesco a ripagarlo di tutta questa bellezza?

24 luglio

Paura, tanta paura.

30 luglio

Io scappo e lui mi riprende. Ed è così dolce sentire le sue mani che mi stringono senza opprimermi... Piango spesso e ogni volta che lo faccio lui mi tiene stretta a sé, respira i miei capelli e io poggio il mio viso sul suo petto. La tentazione è di fuggire e di ricadere nell'abisso, ripercorrere il tunnel e non uscirne mai più. Ma le sue braccia mi sostengono e io mi fido di loro e posso ancora salvarmi...

12 agosto 2002

Il desiderio di lui è forte e vibrante, non posso fare a meno della sua presenza. Mi abbraccia e mi chiede di chi sono.

«Tua», gli rispondo, «completamente tua».

Mi guarda negli occhi e mi dice: «Piccola, non farti più del male, te ne prego. Ne faresti troppo anche a me».

«Non ti farei mai del male», gli dico.

«Non devi farlo per me, ma per te prima di ogni altra cosa. Tu sei un fiore, non lasciare che ti calpestino più».

Mi bacia sfiorando piano le mie labbra e mi riempie d'amore.

Sorrido, sono felice. Lui mi dice: «Ecco, adesso devo baciarti, devo rubarti questo sorriso e stamparlo per sempre sulle mie labbra. Mi fai impazzire, sei un angelo, una principessa, vorrei dedicare l'intera notte ad amarti».

In un letto candido i nostri corpi aderiscono perfettamente, la sua e la mia pelle si uniscono e diveniamo insieme forza e dolcezza; ci guardiamo negli occhi mentre lui mi scivola dentro piano, senza farmi male perché dice che il mio corpo non deve essere violato, solo amato. Lo cingo con le braccia e con le gambe, i suoi sospiri si uniscono ai miei, le sua dita s'intrecciano alle mie e il suo piacere si confonde inesorabile con il mio.

Mi addormento sul suo petto, i miei lunghi capelli gli coprono il volto ma lui ne è felice e mi bacia cento e cento volte sulla testa. «Promettimi... promettimi una cosa: noi non ci perderemo mai, promettimelo», gli sussurro.

Ancora silenzio, mi accarezza la schiena e provo dei brividi irresistibili, entra nuovamente dentro di me mentre io affondo i miei fianchi aderendo ai suoi.

E mentre mi muovo piano dice: «Ci sono due condizioni perché tu non possa perdermi e io non possa perdere te. Non dovrai sentirti prigioniera né di me né del mio amore, del mio affetto, di niente. Tu sei un angelo che deve volare libero, non dovrai mai permettermi di essere l'unico scopo della tua vita. Tu sarai una gran donna, e lo sei anche adesso».

La mia voce rotta dal piacere gli chiede qual è la seconda condizione.

«Di non tradire mai te stessa, perché tradendo te stessa farai del male a me e a te. Io ti amo e ti amerò anche quando le nostre strade si divideranno».

I nostri piaceri si fondono e non posso fare a meno di stringere forte il mio Amore, non lasciarlo mai più, mai.

Mi riaddormento sul suo letto spossata, la notte trascorre e il mattino mi sveglia con il sole caldo e luminoso. Sul cuscino un suo biglietto:

Che tu possa avere nella vita la più alta, piena e perfetta felicità, meravigliosa creatura. E che io possa farne parte con te, finché tu lo vorrai. Perché... sappilo sin d'ora: io lo vorrò sempre, anche quando non ti volterai più indietro per guardarmi. Sono andato a prenderti la colazione, torno presto.

Con un solo occhio aperto osservo il sole, i suoni arrivano morbidi alle mie orecchie. Le barche dei pescatori stanno cominciando ad attraccare dopo una notte trascorsa in mare. Un viaggio nell'ignoto. Una lacrima mi attraversa il viso. Sorrido quando la sua mano sfiora la mia schiena nuda e mi bacia la nuca. Lo guardo. Lo guardo e capisco, ora so.

Ho concluso il mio viaggio dentro il bosco, sono riuscita a scappare dalla torre dell'orco, dalle grinfie dell'angelo tentatore e dei suoi diavoli, sono fuggita via dal mostro androgino. E sono finita nel castello del principe arabo, che mi ha attesa seduto su un cuscino soffice e vellutato. Mi ha fatta spogliare delle mie vesti logore e mi ha dato abiti da principessa. Ha chiamato le ancelle e mi ha fatto pettinare, poi mi ha baciato sulla fronte e ha detto che mi avrebbe osservata mentre dormivo. Poi, una notte, abbiamo fatto l'amore e quando sono ritornata a casa ho visto i miei capelli ancora lucenti e il trucco intatto. Una principessa, come dice sempre mia madre, così bella che anche i sogni vogliono rubarla.

Stampato dalla tipografia Graffiti srl
Via del Gesù 62, Roma
per conto di Fazi Editore

Ristampa   Anno

15 16 17 18   2004 2005 2006 2007